Toc a Los Dones Espirituales

Por Kenneth Hagin

Todas las escrituras citadas en este libro a no ser que sea de otra manera indicado son de la Biblia de Casiodoro de Reina—Revisión de 1960.

16 15 14 13 12 11 10   10 09 08 07 06 05 04

Tocante a Los Dones Espirituales
ISBN-13: 978-0-89276-187-6
ISBN-10: 0-89276-187-3

English Title: *Concerning Spiritual Gifts*

En los Estados Unidos escriba a:
Kenneth Hagin Ministries
P. O. Box 50126
Tulsa, OK 74150-0126
1-888-28-FAITH
www.rhema.org

En el Canadá escriba a:
Kenneth Hagin Ministries
P. O. Box 335, Station D
Etobicoke (Toronto), Ontario
Canada, M9A 4X3
1-866-70-RHEMA
www.rhemacanada.org

Contenido

El Bautismo del Espíritu Santo — Una Experiencia Subsiguiente a la Salvación

Texto Bíblico: Hechos 8:12-19

Verdad Central: Hay una experiencia que sigue a la salvación de ser llenos del Espíritu Santo.

Como un joven ministro de cierta denominación se me había enseñado que cuando una persona es salva, ella *tiene* el Espíritu Santo — lo cual es verdad en cierto sentido. Sin embargo, mi denominación enseñaba que cuando uno es salvo, tiene *todo* el Espíritu Santo que es posible tenerse.

El pasaje de escritura de abajo me ayudó a ver que hay una experiencia subsiguiente a la salvación llamada el recibir el Espíritu Santo, o el bautismo del Espíritu Santo.

Estos versículos muestran que aunque los samaritanos eran salvos, los apóstoles no parecían pensar que tenían todo el Espíritu Santo que es posible tener.

El Ministerio de Felipe en Samaria

HECHOS 8:12,13

12 Pero cuando creyeron a Felipe, que anunciaba el evangelio del reino de Dios y el nombre de Jesucristo, se bautizaban hombres y mujeres.

13 También creyó Simón mismo, y habiéndose bautizado, estaba siempre con Felipe; y viendo las señales y grandes milagros que se hacían, estaba atónito.

El ministerio de Felipe en Samaria fué bendecido abundantemente por Dios. Milagros poderosos fueron hechos constantemente. Muchos fueron salvos y sanos, de acuerdo con Hechos 8:7,8: *"Porque de muchos que tenían espíritus inmundos, salían éstos dando grandes voces; y muchos paralíticos y cojos eran sanados; así que había gran gozo en aquella ciudad."*

Los Samaritanos creyeron los sermones de Felipe sobre el reino de Dios y el Nombre de Jesús, y fueron bautizados en agua: *"Pero cuando CREYERON a Felipe, que anunciaba el evangelio del reino de Dios y el nombre de Jesucristo, se BAUTIZABAN hombres y mujeres"* (v. 12).

Jesús había dicho, *"... Id por todo el mundo y predicad el evangelio a toda criatura. El que CREYERE y fuere BAUTIZADO será salvo..."* (Marcos 16:15,16). Estos samaritanos hicieron las dos cosas, creyeron y fueron bautizados. ¿Fueron salvos? ¡De acuerdo con Jesús lo fueron! Sin embargo ninguno de ellos había recibido el bautismo del Espíritu Santo.

Hay una obra del Espíritu Santo envuelta en el *Nuevo Nacimiento,*

1

pero esa obra no es llamada el recibir el Espíritu Santo (o el bautismo del Espíritu Santo). Es llamada el ser *nacido de nuevo* (o el recibir vida eterna). La experiencia que sigue a la salvación es llamada el *recibir el Espíritu Santo, el bautismo del Espíritu Santo, o el ser llenos del Espíritu Santo.* Somos nacidos de nuevo por la Palabra de Dios. Pedro dice que somos nacidos *"no de simiente corruptible, sino de incorruptible, POR LA PALABRA DE DIOS que vive y permanece para siempre"* (1 Pedro 1:23).

Pedro y Juan enviados a Samaria

HECHOS 8:14-17

14 Cuando los apóstoles que estaban en Jerusalén oyeron que Samaria había recibido la Palabra de Dios, enviaron allá a Pedro y a Juan;

15 los cuales, habiendo venido, oraron por ellos para que recibiesen el Espíritu Santo;

16 porque aún no había descendido sobre ninguno de ellos, sino que solamente habían sido bautizados en el nombre de Jesús.

17 Entonces les imponían las manos, y recibían el Espíritu Santo.

Nuestro texto dice en el versículo catorce, *"Cuando los apóstoles que estaban en Jerusalén oyeron que Samaria HABIA RECIBIDO LA PALABRA DE DIOS..."* Esta es prueba concluyente que esta gente fué salva genuinamente. Los apóstoles reconocieron que eran salvos, porque después de oir las cosas

maravillosas que Dios había hecho a través del ministerio de Felipe, enviaron a Pedro y a Juan a imponer las manos sobre los nuevos convertidos para que recibieran el Espíritu Santo.

No hay ningún registro de que alguno de aquellos en quien Pedro y Juan impusieron las manos hubiera dejado de recibir. La Biblia simplemente declara, *"Entonces les imponían las manos, y recibían el Espíritu Santo"* (Hechos 8:17).

Pedro y Juan fueron enviados a Samaria con un propósito específico. ¿Cuál era ese propósito? La respuesta se encuentra en el versículo quince: *"los cuales, habiendo venido, oraron por ellos para que recibiesen el Espíritu Santo."*

Los otros apóstoles en Jerusalén los enviaron a Samaria con este propósito específico. ¿Por qué tuvieron que orar para que aquellos samaritanos recibieran el Espíritu Santo? ¿Por qué no pudo Felipe haber orado por ellos al igual?

Debemos recordar que todos tenemos nuestro lugar en el plan de Dios. Debemos encontrar ese lugar y hacer lo que Dios quiere que hagamos. Dios tiene ministerios especiales; El no nos llamó a todos a ministrar de la misma forma, y El no nos dió a todos el mismo ministerio.

Felipe era un evangelista. Su ministerio era el dirigir a muchos a la experiencia de la salvación en Cristo Jesús. Pedro y Juan, por otra parte, tenían el ministerio específico de poner las manos sobre la gente para recibir el Espíritu Santo.

2

Simón el Mago

HECHOS 8:18,19
18 Cuando vio Simón que por la imposición de las manos de los apóstoles se daba el Espíritu Santo, les ofreció dinero,
19 diciendo: Dadme también a mí este poder, para que cualquiera a quien yo impusiere las manos reciba el Espíritu Santo.

Simón el mago ofreció dinero a Pedro y a Juan, diciendo, "... *Dadme también a mí este poder, para que cualquiera a quien yo impusiere las manos reciba el Espíritu Santo*" (v. 19).

Algunos han pensado que Simón trató de comprar el Espíritu Santo. No es así. El trató de comprar la *habilidad* de imponer las manos sobre las personas y hacerles recibir el Espíritu Santo.

Pedro le contestó, "... *Tu dinero perezca contigo, porque has pensado que el don de Dios se obtiene con dinero*" (v. 20).

Hay cuatro palabras griegas diferentes traducidas "don" en el Nuevo Testamento. Esta palabra griega en particular significa "un dote." Pedro dijo que él y Juan estaban *dotados*, o *investidos*, por el Espíritu Santo para imponer las manos sobre las personas para recibir el bautismo del Espíritu Santo.

¿Cómo sabemos que estos samaritanos realmente hablaron en lenguas? Algunos que no creen en las lenguas argumentan que esta escritura no dice nada acerca de hablar en lenguas.

No hay evidencia, sin embargo, de que *no* hablaran en lenguas. De hecho, los estudiantes de Historia de la Iglesia saben que los Padres de la Iglesia Primitiva están de acuerdo en que sí que hablaron en lenguas en Samaria. Y leemos en otro lugar en el Nuevo Testamento que aquellos que fueron llenos del Espíritu Santo hablaron en lenguas.

También es evidente que estos samaritanos habían hablado en lenguas, porque "*Cuando VIO Simón que por la imposición de las manos de los apóstoles se daba el Espíritu Santo ...*" (v. 18).

De cierto, el Espíritu Santo no puede ser visto con el ojo físico, porque El es un Espíritu. Sin embargo tenía que haber habido alguna clase de señal física por la cuál Simón supiera que habían recibido el Espíritu Santo. Tenía que haber habido algo que registrara en los sentidos físicos de Simón para poder decir que ellos habían recibido el Espíritu Santo. Simón no recibió el Espíritu Santo, pero pudo ver que otros sí lo habían recibido. ¿Cómo?

"Quizás fue porque Simón vió que los samaritanos estaban llenos de gozo," me dijo cierto ministro. Esto, sin embargo no podría ser la explicación, porque Simón ya había visto su gozo. El versículo ocho informa, "... *había gran gozo en aquella ciudad.*" Ellos ya tenían gozo *antes* de que Pedro y Juan llegaran a Jerusalén, y *antes* de recibir el bautismo del Espíritu Santo.

¿Qué clase de señal, entonces, haría que Simón supiera que esta gente había recibido el Espíritu Santo cuando Pedro y Juan

3

impusieron las manos sobre ellos? Toda evidencia indica que la señal que fue manifestada fue el hablar en lenguas. Esa era la señal que convenció a Simón de que habían recibido el Espíritu Santo.

El hablar en lenguas no es el Espíritu Santo, y el Espíritu Santo no es el hablar en lenguas — pero van de mano en mano. Es como la lengua del zapato. La lengua no es el zapato, y el zapato no es la lengua, pero cada uno es una parte importante del otro.

Cuando alguien compra un automóvil en Tejas, se le entrega un certificado como evidencia de que él es el dueño. El automóvil no es el certificado, ni el certificado es el automóvil, pero no podrás ir muy lejos con aquel automóvil si no tienes el certificado (o la evidencia).

Si tienes la plenitud del Espíritu Santo, deberías tener la *evidencia* (las lenguas) a su lado.

Date cuenta de que no hay la menor sugerencia en Hechos 8 de que Pedro y Juan les enseñaron a los samaritanos a esperar con demora por el Espíritu Santo.

El enseñar a la gente a esperar por la plenitud del Espíritu Santo, el cual ya ha sido dado como un don gratuito, sólo produce duda e indecisión.

Howard Carter, quien era el supervisor general de las Asambleas de Dios en Gran Bretaña durante muchos años, fundó la más antigua escuela Bíblica Pentecostal del mundo, y fué uno de los primeros maestros en los círculos del Evangelio Completo alrededor del mundo.

El dijo que el enseñar a la gente a esperar por el Espíritu Santo no es nada más que una combinación de obras e incredulidad.

Don Gratuito

Nota algo más en Hechos 8: Pedro y Juan no oraron para que Dios les diese a los samaritanos el Espíritu Santo. Oraron para que los samaritanos recibiesen el Espíritu Santo.

A menudo oramos, "Señor, salva a las almas en el culto de esta noche. Sana a los enfermos." Sin embargo, no encontramos donde ellos oraron de este modo en los Hechos de los Apóstoles (y nosotros deberíamos orar de acuerdo con la Palabra).

Yo oro por la gente, pero no para que Dios los salve, porque El ya ha hecho algo para salvarles: Envió a Su Hijo para morir por nosotros. Dios ya ha comprado la salvación para cada hombre; sin embargo, no nos hará ningún bien hasta que los aceptemos. Esa es la razón por la cuál El nos dijo que propagáramos las Buenas Nuevas.

De acuerdo con las Escrituras, deberíamos orar para que la gente *recibiera* el don de la vida eterna que se les es ofrecida.

Ni oro para que Dios sane a la gente, tampoco. Oro para que la gente *reciba* la sanidad que Dios ofrece.

No oro para que Dios llene a la gente con el Espíritu Santo. Oro como Pedro y Juan hicieron, para que *reciban* el don que Dios ofrece.

También nota que el versículo

diecisiete de este pasaje no dice, "Entonces les imponían las manos y Dios los llenaba del Espíritu Santo." Dice, "... y RECIBIAN el Espíritu Santo."

Creo que estamos en buena compañía con Pedro y Juan, así que yo sigo el mismo procedimientoo de ellos: Impongo las manos sobre las personas para recibir el Espíritu Santo. Lo hago en fe porque está de acuerdo con las escrituras. También lo hago porque tengo un ministerio en esa línea. Los apóstoles enviaron a Pedro y a Juan a Samaria porque éllos tenían un ministerio en esa línea. (Dios nos unge para ministrar de acuerdo con Su llamado en nuestras vidas.)

Como un pastor denominacional hace medio siglo, cuando leí el Nuevo Testamento y el Espíritu de Dios me iluminó estos versículos, me convencí de que si yo había recibido el mismo Espíritu Santo que ellos recibieron, tendría la misma señal inicial de hablar en lenguas. No estaba satisfecho con nada menos.

Texto para Memorizar

"*Porque Juan ciertamente bautizó con agua, mas vosotros seréis bautizados con el Espíritu Santo dentro de no muchos días*" (Hechos 1:5).

LA LECCION EN ACCION: *"Pero sed hacedores de la Palabra, y no tan solamente oidores..."* (Santiago 1:22).

5

La Promesa y su Cumplimiento

Textos Bíblicos: Juan 14:16,17; Hechos 2:32,33; Juan 4:13,14; 7:37-39
Verdad Central: El Señor ha prometido "rios de agua viva" para saciar la sed espiritual del hombre.

En los versículos siguientes vemos la promesa de Jesús del don del Espíritu Santo. Después en Hechos 2 vemos el cumplimiento de aquella promesa.

JUAN 14:16,17
16 Y yo rogaré al Padre, y os dará Otro Consolador, para que esté con vosotros para siempre:
17 el Espíritu de verdad, al cual el mundo no puede recibir, porque no le ve, ni le conoce; pero vosotros le conocéis, porque mora con vosotros, y estará en vosotros.

HECHOS 2:32,33
32 A este Jesús resucitó Dios, de lo cual todos nosotros somos testigos.
33 Así que, exaltado por la diestra de Dios, y habiendo recibido del Padre la promesa del Espíritu Santo, ha derramado esto que vosotros veis y ois.

El Prometido Consolador

Jesús oró que el Padre enviara otro Consolador para que estuviera para siempre. Después en el Día de Pentecostés El derramó al Espíritu Santo, quien ha estado aquí desde entonces. Ahora no se trata de que el Padre le *de* a nadie el Espíritu Santo. Se trata de que nosotros *recibamos* al Espíritu Santo.

Nota las palabras de Jesús, *"yo rogaré al Padre, y os dará otro Consolador, para que (EL) esté con vosotros para siempre."* Cuando recibimos el Espíritu Santo, lo recibimos a "El," no a una "cosa." Hemos oído a algunos decir, "yo recibí el bautismo." Sin embargo, ellos no recibieron el bautismo; recibieron el Espíritu Santo.

Otros dicen, "Estoy lleno del Bautismo." No están llenos del bautismo. No están ni llenos del bautismo del Espíritu Santo, están llenos del Espíritu Santo, la tercera Persona de la Trinidad.

El recibir el Espíritu Santo es más que una experiencia: Una Personalidad divina viene a vivir en nosotros — a morar en nosotros — a hacer Su hogar en nosotros.

No debemos preocuparnos tanto con una experiencia exterior que perdamos la realidad de la presencia moradora interiormente del Espíritu Santo. Si hemos sido llenos del Espíritu Santo, deberíamos estar conscientes de Su presencia cada momento en el que estamos despiertos. No deberíamos tener que mirar atrás a alguna experiencia que tuvimos en cierto altar hace unos años. ¡El Espíritu Santo debería llegar a ser más real y precioso para nosotros de cada día!

La Promesa es Para los Creyentes

Nota también que la plenitud del Espíritu Santo no es para el pecador, es para el creyente. Refiriéndose a la plenitud del Espíritu Santo, Jesús dijo, "*el Espíritu de verdad, al cual el mundo no puede recibir.*"

El mundo puede recibir la vida eterna: "*Porque de tal manera amó Dios al MUNDO, que ha dado a su Hijo unigénito, para que todo aquel que en él cree, no se pierda, mas tenga vida eterna*" (Juan 3:16). El mundo no puede recibir a Cristo como Salvador — el mundo puede ser nacido de nuevo — pero alguien debe de nacer de nuevo *antes* de poder recibir la plenitud de Espíritu Santo.

Para ilustrar esto, Jesús dijo en Mateo 9:17, "*Ni echan vino nuevo en odres viejos; de otra manera los odres se rompen, y el vino se derrama... pero echan el vino nuevo en odres nuevos....*" (En aquellos tiempos el vino se guardaba en odres de piel.)

En las Escrituras, el vino es un tipo del Espíritu Santo. Jesús estaba entonces diciendo que el Espíritu Santo no podía ser dado en Su plenitud a no ser que uno hubiera sido hecho una nueva criatura. De otra manera, como Jesús señaló si fuera a poner vino nuevo en odres viejos, reventarían. Si El pusiera el Espíritu Santo en gente que no había nacido de nuevo, reventarían. "*De modo que si alguno está en Cristo,*

nueva criatura es..." (2 Cor. 5:17). Cuando has sido hecho una nueva criatura, estás listo para ser lleno del nuevo vino.

También refiriéndose al Espíritu Santo Jesús dijo en Lucas 11:13, "*Pues si vosotros, siendo malos, sabéis dar buenas dádivas a vuestos hijos, ¿cuánto más vuestro Padre celestial dará el Espíritu Santo a los que se lo pidan?*"

Dios no es el Padre de todos. Oímos mucho estos días acerca de la Paternidad de Dios y de la Hermandad de los hombres, y de que Dios es el Padre de todos nosotros y nosotros todos somos hermanos. Eso no es verdad. Jesús les dijo a los Fariseos, la secta más extricta de la religión judía, "*Vosotros sois de vuestro padre el diablo...*" (Juan 8:44). Dios es el Padre solamente de aquellos que han nacido de nuevo. Y para aquellos que han nacido de nuevo, el Padre tiene para éllos el don de la plenitud del Espíritu Santo.

Ven y Bebe

JUAN 4:13,14

13 Respondió Jesús y le dijo: Cualquiera que bebiere de esta agua, volverá a tener sed;
14 mas el que bebiere del agua que yo le daré, no tendrá sed jamás; sino que el agua que yo le daré será en él una fuente de agua que salte para vida eterna.

JUAN 7:37-39

37 En el último y gran día de la fiesta, Jesús se puso en pie y alzó la voz, diciendo: Si alguno tiene sed, venga a

mí y beba.
38 El que cree en mí, como dice la Escritura, de su interior correrán ríos de agua viva.
39 Esto dijo del Espíritu que habían de recibir los que creyesen en él; pues aún no había venido el Espíritu Santo, porque Jesús no había sido aún glorificado.

El agua a la que se refiere en ambos pasajes anteriores es un tipo del Espíritu Santo. Nota que hay dos experiencias *diferentes* de las que se habla.

Primero, a la mujer en el pozo de Samaria Jesús dijo, "*sino que el agua que yo le daré será en él una fuente de agua que salte para vida eterna.*" Aquí Jesús se estaba refiriendo al Espíritu Santo en el acto de la *regeneración o salvación.* (El Espíritu Santo es representado como una "fuente de agua que salta para vida eterna.")

La otra referencia es a "ríos de agua viva," y habla de la promesa de la *plenitud del Espíritu Santo*: "*de su interior* (su ser más profundo) *correrán ríos de agua viva.*"

Jesús nos anima a venir y beber y llenarnos. "¿Pero cómo puedes saber cuando estás lleno?" podría preguntar alguien. Para la respuesta, miremos en Hechos 2:4: "*Y fueron todos llenos del Espíritu Santo, y comenzaron a hablar en otras lenguas, según el Espíritu les daba que hablasen.*"

Si eres un creyente, es tan sencillo como Jesús dijo que lo era. ¡Ven y bebe, y sigue bebiendo hasta que te llenes! Cuando te llenes, empezarás a hablar en otras lenguas. Esta es la señal inicial o la evidencia de que estás lleno.

Texto Para Memorizar:
"...*Si alguno tiene sed, venga a mí y beba.*" (Juan 7:37).

LA LECCION EN ACCION: *"Pero sed hacedores de la Palabra, y no tan solamente oidores..."* (Santiago 1:22).

El Espíritu Santo —
Una Fuente de Poder Siempre Presente

Textos Bíblicos: 1 Corintios 3:16; 6:19; 2 Corintios 6:16

Verdad Central: Todo creyente lleno del Espíritu Santo tiene en su interior todo el poder que va a necesitar para triunfar en esta vida.

El Nuevo Testamento nos da tres relaciones que Dios sostiene hacia el hombre: (1) Dios *por* nosotros; (2) Dios *con* nosotros; (3) Dios *en* nosotros.

El tener a Dios *por* nosotros garantiza el éxito: "*Si Dios es por nosotros, ¿quién contra nosotros?*" (Romanos 8:31). Si Dios está a favor nuestro, la victoria es por contado. Si Dios es *por* nosotros — y nosotros sabemos que El es por nosotros — nos volvemos totalmente audazes en la vida. No importa cuál sea la dificultad de la situación — no importa la obscuridad de las nubes que amenazan en el horizonte de nuestra vida — estamos tranquilamente asegurados de que triunfaremos. No puede haber fracaso si el Señōr está por nosotros.

También podemos tener la seguridad de que Dios está *con* nosotros. No importa cuáles sean las circunstancias, nuestro Señor está con nosotros. El conocimiento de la Palabra de Dios en esta línea ciertamente debería hacer que nuestros corazones saltaran por gozo dentro de nosotros y sostener a nuestros espíritus en fe y confianza.

En el Nuevo Testamento tenemos

"*un mejor pacto, establecido sobre mejores promesas*" (Heb. 8:6). Bajo el pacto del Antiguo Testamento, Dios era por Israel y estaba con Israel, per no estaba *en* ellos.

Dios es por nosotros y está con nosotros hoy en día, pero también tenemos algo mejor: Dios está *en* nosotros. ¡Dios está en realidad haciendo Su hogar *en* nuestros cuerpos!

Nuestros Cuerpos Templo de Dios

1 CORINTIOS 3:16

16 ¿No sabéis que sois templo de Dios, y que el Espíritu de Dios mora en vosotros?

1 CORINTIOS 6:19

19 ¿O ignoráis que vuestro cuerpo es templo del Espíritu Santo, el cual está en vosotros, el cual tenéis de Dios, y que no sois vuestros?

2 CORINTIOS 6:16

16 ¿Y qué acuerdo hay entre el templo de Dios y los ídolos? Porque vosotros sois el templo del Dios viviente, como Dios dijo: Habitaré y andaré entre ellos. Y seré su Dios, y ellos serán mi pueblo.

Demasiados pocos de nosotros somos conscientes realmente de que Dios está en nuestros cuerpos. Si los hombres y las mujeres fueran conscientes de Dios en sus cuerpos, no hablarían ni actuarían como lo hacen. Algunos cristianos constantemente hablan acerca de su falta de poder; su falta de habilidad. Si se dieran cuenta que Dios está *en* ellos, ¡sabrían que nada les es imposible! La Biblia dice, *"... al que cree todo le es posible"* (Marcos 9:23). La razón por la cual todo le es posible al que cree es porque Dios nuestro Padre planeó que el creyente tuviera a Dios mismo viviendo en él a través del poder del Espíritu Santo. Y con Dios en una persona, nada es imposible.

De todas las verdades poderosas en conección con nuestra redención, esta es el cenit: *Después de que Dios Mismo nos ha recreado y hecho nuevas criaturas — nos ha hecho Suyas propias — entonces, Él, en la Persona del Espíritu Santo, hace de nuestros cuerpos Su morada.*

Juan escribió en Su primera epístola, *"Hijitos, vosotros sois de Dios, y los habéis vencido: porque mayor es el que está en vosotros, que el que está en el mundo"* (1 Juan 4:4).

Ambos, Pablo y Juan, están escribiendo a gente que no sólo habían recibido vida eterna, sino que eran creyentes llenos del Espíritu — aquellos en quienes el Espíritu Santo había venido a morar — aquellos quienes tenían la señal sobrenatural o el testimonio de Su presencia moradora: el hablar en otras lenguas. Juan dijo, *"... mayor es el que*

está en vosotros, que el que está en el mundo." Yo sostengo que todo creyente nacido de nuevo y lleno del Espíritu tiene en su interior, listo para usarse, todo el poder que pudiera necesitar para triunfar en la vida.

Cuando ponemos las escrituras citadas anteriormente todas juntas, es bastante claro que a través de la plenitud del Espíritu Santo, la Tercera Persona de la Trinidad — Dios Mismo — mora en el creyente. El ya no mora más en un Lugar Santísimo hecho por hombres. Nuestros cuerpos han llegado a ser Su templo.

Al Antiguo Testamento Consumado

En el Antiguo Testamento, bajo el pacto antiguo, la presencia de Dios se mantenía escondida en el Lugar Santísimo. Nadie se atrevía a entrar en aquel lugar excepto el Sumo Sacerdote, y él unicamente con grandes precauciones. Si alguien más se atrevía a entrar, caía muerto. Era necesario que todo varón en Israel se presentara a sí mismo por lo menos una vez al año en Jerusalén, porque allí era donde estaba la presencia de Dios.

Pero justamente antes de que Jesús muriera en la cruz, El dijo, "Consumado es." El no se estaba refiriendo al Nuevo Pacto; se refería al Antiguo Pacto. El Nuevo Pacto no fue consumado hasta que Cristo ascendió a lo alto y entró en el celestial Lugar Santísimo con Su propia sangre para obtener eterna redención para nosotros, como declara Hebreos. Entonces y sólo entonces fué el Nuevo Pacto consumado.

Cuando Jesús, en el monte Calvario dijo, "Consumado es," la Biblia nos dice que el velo que separaba el Lugar Santísimo en el Templo se rasgó en dos de arriba abajo.

Josefo, el historiador judío, nos dice que ese velo o cortina era cuarenta pies de longitud, veinte pies de altitud, y cuatro pulgadas de grosor. Dios envió a Su mensajero abajo para que rasgara aquel velo en dos de arriba abajo, significando que el Antiguo Pacto estaba consumado.

La presencia de Dios, la cuál había estado contenida en el Lugar Santísimo, dejó aquella estructura hecha por hombres. El nunca más ha morado en un edificio hecho por hombres.

Cuando llamamos a un edificio "la casa de Dios," en parte estamos en lo cierto, y en parte equivocados, depende de a qué nos referimos. Si nos referimos a que el edificio es la casa de Dios porque Dios vive y mora allí, estamos equivocados. *El no mora en un edificio.*

Si nos referimos a que es la casa de Dios y es sagrada porque está edificada en el Nombre de Jesús y está dedicada al servicio del Señor, entonces estamos en lo correcto — es una casa de Dios. Sin embargo, Dios no *mora* en un edificio hecho por manos; El vive y mora en nosotros a través del poder del Espíritu Santo.

Juan dijo, "... *mayor es el que está en vosotros ...*" Mirando otra vez en Juan 14:16 (lo cual estudiamos en nuestra última lección), Jesús dijo, "*Y yo rogaré al Padre, y os dará otro Consolador, para que esté con vosotros para siempre.*" Y al final del versículo diecisiete, "*(El) estará en vosotros.*" Esto es lo que Juan también está diciendo. al escribir a los creyentes nacidos de nuevo y llenos del Espíritu: "*Mayor es el que está en vosotros, que el que está en el mundo.*" ¿Quién es "el que está en el mundo"? Satanás, el dios de este mundo.

Pero Aquel que está en ti es mayor. Si fuéramos conscientes del Mayor en nosotros, no temeríamos al diablo, porque el que está en nosotros es mayor que el que está en el mundo.

Si estamos conscientes de Aquel que es Mayor que mora en nosotros y creemos lo que la Palabra de Dios dice sobre Su presencia, no importa a qué o a quién nos enfrentemos, no tendremos ningún temor. Tenemos la Fuente de todo poder morando en nosotros.

Así como el Espíritu Santo mora en nosotros, de acuerdo con la promesa de Cristo, andaremos en el poder del Espíritu Santo. No tenemos que ser derrotados por las circunstancias de la vida. Podemos levantarnos por encima de nuestras limitaciones físicas a través del poder de Su Espíritu.

Texto Para Memorizar:
"*... mayor es el que está en vosotros, que el que está en el mundo*" (1 Juan 4:4).

LA LECCION EN ACCION: *"Pero sed hacedores de la Palabra, y no tan solamente oidores ..."* (Santiago 1:22).

La Evidencia de la Morada Interior del Espíritu Santo

Textos Bíblicos: Hechos 10:44-46; 11:15-18; 19:1-6

Verdad Central: El hablar en Lenguas es la evidencia física de una experiencia espiritual.

En Hechos 10, vemos un ejemplo de la manifestación de las lenguas siendo la prueba convincente de que los creyentes habían recibido el Espíritu Santo.

HECHOS 10:44-46

44 Mientras aún hablaba Pedro estas palabras, el Espíritu Santo cayó sobre todos los que oían el discurso.

45 Y los fieles de la circuncisión que habían venido con Pedro se quedaron atónitos de que también sobre los gentiles se derramase el don del Espíritu Santo.

46 Porque los oían que hablaban en lenguas, y que magnificaban a Dios.

Después de la dramática visión de Pedro del lienzo lleno de toda manera de animales inmundos descendiendo del cielo, fue enviado a la casa de Cornelio, un gentil, para proclamar la salvación de Dios a través de Jesucristo.

Al hablar Pedro a Cornelio y a toda su casa con respecto a la remisión de pecados a través de la sangre de Jesús, el Espíritu Santo se derramó en todos ellos y hablaron en otras lenguas.

Cuando los hermanos judíos en Jerusalén oyeron que Pedro había llevado el evangelio a los gentiles, lo criticaron grandemente diciendo, *"... ¿Por qué has entrado en casa de hombres incircuncisos, y has comido con ellos?"* (Hechos 11:3).

Entonces Pedro les contó en detalle la visión que el Señor le había dado, amonestándole, *"... Lo que Dios limpió, no lo llames tú común"* (v. 9). Pedro entonces presentó evidencia comprobando que la salvación de los gentiles era genuina y por lo tanto debería ser aceptada por los hermanos judíos.

HECHOS 11:15-18

15 Y cuando comencé a hablar, cayó el Espíritu Santo sobre ellos también, como sobre nosotros al principio.

16 Entonces me acordé de lo dicho por el Señor, cuando dijo: Juan ciertamente bautizó en agua, mas vosotros seréis bautizados con el Espíritu Santo.

17 Si Dios, pues, les concedió también el mismo don que a nosotros que hemos creído en el Señor Jesucristo, ¿quién era yo que pudiese estorbar a Dios?

18 Entonces, oídas estas cosas, callaron, y glorificaron a Dios, diciendo: ¡De manera que también a los gentiles ha dado Dios arrepentimiento para vida!

Observa que fue el *hablar en lenguas* lo que finalmente convenció al grupo que acompañó a Pedro a la casa de Cornelio (así como a los cristianos en Jerusalén) de que estos gentiles habían recibido el don de la salvación.

También es interesante notar que recibieron la salvación y el bautismo del Espíritu Santo casi simultáneamente. (Cuando una persona se salva al principio, ése es el mejor tiempo para que sea llena del Espíritu Santo.) Nadie había impuesto las manos en esos gentiles. Todos habían recibido el Espíritu Santo al mismo tiempo. Ninguno se quedó sin recibir.

Aquí nuevamente no vemos ninguna sugerencia de que esperasen y esperasen para ser llenos del Espíritu Santo.

El Espíritu Santo Derramado en Efeso

HECHOS 19:1-6

1 Aconteció que entre tanto que Apolos estaba en Corinto, Pablo, después de recorrer las regiones superiores, vino a Efeso, y hallando a ciertos discípulos,
2 les dijo: ¿Recibisteis el Espíritu Santo cuando creísteis? Y ellos le dijeron: Ni siquiera hemos oído si hay Espíritu Santo.
3 Entonces dijo: ¿En qué, pues, fuisteis bautizados? Ellos dijeron: En el bautismo de Juan.
4 Dijo Pablo: Juan bautizó con bautismo de arrepentimiento, diciendo al pueblo que creyesen en aquel que vendría después de el, esto es, en Jesús el Cristo.

5 Cuando oyeron esto, fueron bautizados en el nombre del Señor Jesús.
6 Y habiéndoles impuesto Pablo las manos, vino sobre ellos el Espíritu Santo; y hablaban en lenguas, y profetizaban.

Aquí vemos otro ejemplo de los gentiles recibiendo la plenitud del Espíritu Santo. Estos hombres eran todos nuevos convertidos que habían seguido a Juan el Bautista. Habían oído a Juan predicar del Prometido que vendría. Habían creído el mensaje de Juan, y habían sido bautizados por él en el Nombre del Padre. Sin embargo, ya que las noticias no viajaban tan rápidamente como ahora, aún no habían oído que el Prometido ya había venido.

Entonces Pablo vino y les dijo que Jesús, el Prometido, había venido, había muerto en la cruz, y había resucitado; y ahora debían creer en El. Pablo entonces los bautizó en el Nombre del Señor Jesús.

Pero no se paró ahí. El también quería que fueran llenos del Espíritu Santo. Cuando les impuso las manos, "... *vino sobre ellos el Espíritu Santo; y hablaban en lenguas, y profetizaban*" (v. 6).

¡Sin excepción, todos estos nuevos convertidos recibieron el Espíritu Santo cuando Pablo les impuso las manos! De nuevo, no vemos ninguna sugerencia de que tuvieran que esperar un tiempo antes de recibir.

Observa también que "*hablaban en lenguas y profetizaban.*" Algunas

13

veces la gente recibe una bendición espiritual adicional, en adición a las lenguas, cuando son llenos del Espíritu, pero las lenguas siempre van primero. (La escritura no dijo que profetizaban y hablaban en lenguas; dice que hablaron en lenguas primero y luego profetizaban.) Yo he visto a quienes han hablado en lenguas y profetizado cuando recibieron el Espíritu Santo. También he visto a quienes han hablado en lenguas e interpretado cuando recibieron el Espíritu Santo. Deberíamos esperar hablar en lenguas. Si algo más es añadido, bien y bueno.

Cuando yo recibí el bautismo del Espíritu Santo, recibí un don del Espíritu también, aunque en aquel entonces no me di cuenta. Sabía que había recibido el Espíritu Santo porque hablé en otras lenguas, pero si he de ser perfectamente sincero, me sentí un poco desilusionado. Habiendo oído a algunos creyentes relatar sus experiencias de ser llenos del Espíritu Santo, yo estaba preparado para tener cualquier clase de experiencia abrumadora y bulliciosa, pero no fué así.

Después de haber recibido, me dije a mi mismo, *Todo lo que hice fué hablar en lenguas. Me he sentido much más bendecido muchas veces con sólo orar.*

Pero el bautismo del Espíritu Santo no es sólo el recibir una bendición; es mucho más. Yo conocía la Biblia, así que dije, *no me importa lo que siento o lo que no siento. Yo sé que he recibido el Espíritu Santo porque he hablado en otras lenguas.*

Tengo la evidencia bíblica. Continué alabando a Dios de esta manera durante unos tres días. Más tarde me di cuenta de que al mismo tiempo de haber recibido el Espíritu Santo y haber hablado en lenguas, había recibido otro don del Espíritu — la palabra de ciencia.

La Puerta a los Dones Espirituales

Como hemos visto, el hablar en lenguas es la señal o evidencia inicial sobrenatural de la morada interior del Espíritu Santo. El hablar en lenguas es la puerta a los dones espirituales.

He comprobado en mi propia vida que mientras más oro y adoro a Dios en lenguas, más manifestaciones tengo de los otros dones del Espíritu. Mientras menos oro en lenguas, menos manifestaciones tengo.

El hablar en lenguas es la puerta para el resto de los dones espirituales. Algunos sólo están interesados en los otros dones del Espíritu, pero tenemos que ir a través de la "puerta" para llegar allí.

La Biblia nos enseña a desear los dones espirituales (1 Cor. 14:1), y a procurar los mejores dones (1 Cor. 12:31). ¡Pero recuerda que *esas palabras fueron escritas a quienes ya hablaban en lenguas!* No fueron escritas a aquellos que no hablaban en lenguas.

En la iglesia de Corinto había abundancia de hablar en lenguas. De hecho, parecía que cuando iban a la iglesia, ¡todos querían hablar en lenguas al mismo tiempo! Esto no edifica, así que Pablo les dijo que sólo dos o tres debían hablar en público, y otro debía interpretar. Y si el intérprete no estaba presente, que debían mantener silencio en la iglesia (1 Cor. 14:27,28).

Pablo no les dijo que tenían lo incorrecto. Tenían lo correcto, pero estaban tan emocionados y exuberantes que todos querían hacerlo a la misma vez. Si todos están alabando a Dios, está bien que todos alaben a Dios en lenguas a la misma vez. Pero no estaría bien si todos hablasen en lenguas a la vez mientras alguien tratara de predicar. También no estaría bien si alguien enseñara en otras lenguas durante una hora sin ninguna interpretación. El que habla sería edificado, pero el oyente no recibiría nada de ello.

Como dijo Pablo, es mejor hablar unas pocas palabras con nuestro entendimiento para poder enseñar a otros que hablar diez mil palabras en lenguas a no ser que haya una interpretación.

Algunos, sin embargo, han creado una montaña de una simple topinera. Dicen que Pablo les estaba diciendo a los corintios que no hablaran en lenguas nunca. Esta no hubiera podido ser su intención, sin embargo, porque él había acabado de decir, *"Doy gracias a Dios que hablo en lenguas más que todos vosotros; pero en la iglesia prefiero hablar cinco palabras con mi entendimiento, para enseñar también a otros..."* (1 Cor. 14:18,19). Ciertamente sería mejor para él que enfrente de la congregación hablara diez palabras en su propio idioma para que le pudieran entender, que hablar diez mil palabras en lenguas sin ser interpretadas.

Pero para corregir un error, Pablo no sugirió que cometiéramos otro al abandonar el hablar en lenguas por completo. Por contrario, se nos dice que procuremos los mejores dones. Al hacer esto y entrar en una vida cristiana más poderosa y eficaz, iremos por la puerta del bautismo del Espíritu Santo para recibir los gloriosos dones espirituales que Dios ha prometido a aquellos que creen en Su Palabra.

Texto Para Memorizar:
"Porque los oían que hablaban en lenguas, y que magnificaban a Dios" (Hechos 10:46).

LA LECCION EN ACCION: *"Pero sed hacedores de la Palabra, y no tan solamente oidores..."* (Santiago 1:22).

15

¿Es Necesario Hablar en Lenguas?

Textos Bíblicos: 1 Corintios 13:8-12; 12:8-10,27-30
Verdad Central: Muchos han sido robados de la bendición que Dios tiene para éllos por creer que el hablar en lenguas no es para todos, o que es uno de los dones menores.

El ser lleno del Espíritu Santo significa más que simplemente hablar en lenguas, pero las lenguas son una parte integral e importante de recibir el Espíritu Santo. Pablo dijo, *"Doy gracias a Dios que hablo en lenguas ..."* (1 Cor. 14:18).

¿Eran las Lenguas Sólo para Aquel Entonces?

Hay quienes dicen, "Las lenguas ya han pasado, porque la Biblia dice que las lenguas han cesado." Veamos el pasaje de escritura usado en conección con este argumento.

1 CORINTIOS 13:8-12

8 El amor nunca deja de ser; pero las profecías se acabarán, y cesarán las lenguas, y la ciencia acabará.
9 Porque en parte conocemos, y en parte profetizamos;
10 mas cuando venga lo perfecto, entonces lo que es en parte se acabará.
11 Cuando yo era niño, hablaba como niño, pensaba como niño; mas cuando ya fui hombre, dejé lo que era de niño.
12 Ahora vemos por espejo, oscuramente; mas entonces veremos cara a cara. Ahora conozco en parte; pero entonces conoceré como fui conocido.

Aquellos que creen que las lenguas ya pasaron dicen que la Biblia es "aquello que es perfecto" — y porque ahora tenemos la Biblia en su forma completa, ya no tenemos necesidad de los dones sobrenaturales. Desdeluego, la Biblia es perfecta, pero nuestro entendimiento de la Palabra de Dios es imperfecto. Por lo tanto, aun "vemos por espejo, oscuramente." Esta escritura dice que cuando venga lo perfecto, veremos cara a cara, y no por espejo oscuramente. Ya que es bastante evidente de que aún vemos por espejo oscuramente, también es obvio que aquello que es perfecto aún no ha venido.

Algunos dicen que las lenguas han cesado, pero no dicen nada acerca de que la ciencia ha cesado. La ciencia (o el entendimiento) no ha desaparecido. Las profecías no han fallado. Y las lenguas no han cesado.

Uno de estos días, por supuesto, las lenguas sí cesarán. En el cielo no habrá necesidad de las lenguas. Pablo dijo, *"Porque el que habla en lenguas no habla a los hombres, sino a Dios; pues nadie le entiende, aunque por el Espíritu habla misterios ..."* (1 Cor. 14:2). En la traducción de la Biblia de James Moffatt, él dice que el que habla en lenguas habla "secretos divinos" en el Espíritu. Cuando lleguemos al Cielo, no habrá más misterios o secretos, así que no será necesario hablar en lenguas. Mientras estemos en este lado del Cielo, sin embargo, las lenguas no cesarán.

¿Es Necesario que Todos Hablen en Lenguas?

Luego hay quienes profesan creer en las lenguas, pero no creen que los lenguas son necesariamente para todos los cristianos. Usan el argumento de Primera de Corintios 12:30: "... ¿hablan todos lenguas?" Sin embargo, uno podría tomar una parte de un versículo o incluso un versículo completo de escritura fuera de su contexto y comprobar cualquier cosa. Debemos leer el pasaje entero para entender lo que realmente significa.

1 CORINTIOS 12:27-30
27 Vosotros, pues, sois el cuerpo de Cristo, y miembros cada uno en particular.
28 Y a unos puso Dios en la iglesia, primeramente apóstoles, luego profetas, lo tercero maestros, luego los que hacen miagros, después los que sanan, los que ayudan, los que administran, los que tienen don de lenguas.
29 ¿Son todos apóstoles? ¿son todos profetas? ¿todos maestros? ¿hacen todos milagros?
30 ¿Tienen todos dones de sanidad? ¿hablan todos en lenguas? ¿interpretan todos?

En el versículo veintiocho Pablo está hablando acerca de *los dones del* *ministerio* que Dios ha puesto en la Iglesia. "Apóstoles" no es un don espiritual, sino un oficio, o un don ministerial. "Profetas" no es un don espiritual, sino un don del ministerio. De la misma manera, "maestros" no es un don espiritual, sino un don ministerial para ministrar al Cuerpo de Cristo.

En la primera parte de este capítulo, Pablo da una lista de los dones espirituales.

1 CORINTIOS 12:8-10
8 Porque a éste es dada por el Espíritu palabra de sabiduría; a otro, palabra de ciencia según el mismo Espíritu;
9 a otro, fe por el mismo Espíritu; y a otro, dones de sanidades por el mismo Espíritu.
10 A otro, el hacer milagros; a otro, discernimiento de espíritus; a otro, diversos géneros de lenguas; y a otro, interpretación de lenguas....

Es verdad en realidad que los dones del Espíritu pueden ser manifestados a través de hombres y mujeres *laicos,* porque Pablo dijo, "... *a CADA UNO le es dada la manifestación del Espíritu para provecho"* (1 Cor. 12:7).

También hay aquellos en el *ministerio* que están equipados con los dones del Espíritu. No les llamamos a estas personas "dones espirituales." Como Pablo dice aquí, Dios ha puesto ministerios — cinco dones ministeriales — en la Iglesia.

Al escribir a la Iglesia en Efeso, Pablo enumera estos dones. El dijo que cuando Jesús ascendió a lo alto, *"El mismo constituyó a unos,* apóstoles; a otros, profetas; a otros, evangelistas; a otros, pastores y maestros" (Efesios 4:11).

Cuando Pablo escribió a los corintios acerca de estos dones ministeriales, observamos que el ministerio del evangelista y del pastor no son mencionados (1 Cor. 12:28). Ya que el pastor es la cabeza de la iglesia, su don ministerial está incluido en el oficio de administración. El hacer milagros y los dones de sanidades están incluidos en el oficio del evangelista.

Felipe es un tipo del evangelista del Nuevo Testamento. Leemos acerca de él: *"Entonces Felipe, descendiendo a la ciudad de Samaria, les predicaba a Cristo. Y la gente unánime, escuchaba atentamente las cosas que decía Felipe, oyendo y viendo las señales que hacía. Porque de muchos que tenían espíritus inmundos, salían éstos dando grandes voces; y muchos paralíticos y cojos eran sanados"* (Hechos 8:5-7). Más tarde, Felipe es llamado un evangelista.

Si una persona es un evangelista del Nuevo Testamento, está equipada con tales dones sobrenaturales como el hacer milagros o los dones de sanidades. Se necesitan estos dones para constituir este oficio. Muchas veces llamamos a algunos evangelistas, cuando lo que son en realidad es exhortadores. (Pablo habla de exhortadores en el libro de Romanos.) Aquellos que exhortan a los pecadores para que sean salvos — pero no tienen la operación de los dones de sanidades o milagros o lo sobrenatural en sus vidas — no son evangelistas, sino exhortadores.

Como hemos señalado, Pablo está refiriéndose al don ministerial de *diversidades de lenguas* en Primera de Corintios 12:29,30. No se está refiriendo a ser llenos del Espíritu Santo y hablar en lenguas. El dice, *"¿Son todos apóstoles?* (No.) *¿Son todos profetas?* (No.) *¿todos maestros?* (No.) *¿hacen todos milagros?* (No.) *¿Tienen todos dones de sanidades?"* (No.)

Luego pregunta, *"¿Hablan todos lenguas? ¿interpretan todos?"* De acuerdo con lo que se está mencionando aquí, la respuesta es no. No está hablando de gente siendo llena del Espíritu Santo y hablando en lenguas. Está hablando acerca de las *lenguas para ministración* en una asamblea pública con interpretación. ¡Todos no lo hacen!

¿Son las Lenguas Realmente Importantes?

Muchos creyentes han sido robados de las bendiciones que Dios tenía dispuestas para ellos porque creen que el hablar en lenguas no es para todos, o que el hablar en lenguas es uno de los menores dones.

Temprano en mi andar cristiano, antes de darme cuenta de que no tenía ningún don espiritual, puedo recordar el decir, "¡Tenemos sabiduría y ciencia (o conocimiento), y esos son dones mayores!"

Lo que no sabía es que Pablo no se está refiriendo a la sabiduría y ciencia intelectuales. La escritura dice, *"Porque a este es dado por el Espíritu palabra de sabiduría; a otro, palabra de ciencia . . .* " (1 Cor. 12:8).

Esto se refiere a los dones espirituales: *la palabra de sabiduría y la palabra de ciencia.*

Pero en mi ignorancia dije, "Tenemos sabiduría y ciencia. Unos pocos de esos pentecostales puede que tengan aquel pequeño don mencionado al final de la lista — las lenguas — pero eso no es muy importante. Nosotros no lo necesitamos."

Para mi profundo asombro, el Espíritu de Dios empezó a mostrarme en Su Palabra que yo necesitaba ser lleno del Espíritu, ¡y que cuando fuera lleno, hablaría en lenguas!

Texto Para Memorizar:
"Y fueron todos llenos del Espíritu Santo, y comenzaron a hablar en lenguas, según el Espíritu les daba que hablasen" (Hechos 2:4).

LA LECCION EN ACCION: *"Pero sed hacedores de la Palabra, y no tan solamente oidores . . ."* (Santiago 1:22).

¿Qué Propósito Sirven las Lenguas?

Textos Bíblicos: 1 Corintios 14:2,4,13; Gálatas 5:22,23

Verdad Central: El hablar en lenguas es un medio sobrenatural para edificarnos a nosotros mismos espiritualmente a través de la comunicación con Dios.

Al escribir a la iglesia en Corinto, Pablo fuertemente recomienda a los creyentes a que hablen en lenguas en sus propias vidas privadas de oración, y les da varias razones para hacerlo:

1 CORINTIOS 14:2,4,13

2 Porque el que habla en lenguas no habla a los hombres, sino a Dios; pues nadie le entiende, aunque por el Espíritu habla misterios. . . .

4 El que habla en lengua extraña, a sí mismo se edifica; pero el que profetiza, edifica a la iglesia. . . .

13 Por lo cual, el que habla en lengua extraña, pida en oración poder interpretarla.

La palabra "extraña" en la traducción inglesa King James aparece en letra bastardilla. Cuando una palabra en la Biblia está en letra bastardilla, quiere decir que esa palabra no ocurre en las escrituras originales; fué añadida por los traductores para clarificar el significado. En cierto sentido no hay tal cosa como una lengua "extraña." Los traductores de la verión Reina Valera añadieron la palabra "extraña" para que los lectores supieran que la lengua era "extraña" para el que estaba hablando: Nunca la había aprendido — le fué impartida sobrenaturalmente. No es extraña para todo el mundo, y ciertamente no es extraña para Dios.

Por ejemplo, yo he hablado bastantes diferentes lenguas que me eran extrañas a mí, las cuáles nunca aprendí, como el hebreo y el chino. Gente presente, que conocían el idioma, entendieron lo que dije. Sin embargo, si tú fueras a pedirme ahora que hablara esos lenguajes, ¡yo no sería capaz de decir ni una palabra!

De hecho, el impacto de hablar en lenguas extrañas (extrañas para ti, pero no para otros), puede incluso llevar a alguien a la salvación, como en cierta situación en la que me encontré.

Un hombre judío, que no creía en Cristo ni en el Nuevo Testamento, atendió uno de mis servicios. Al final de mi sermón, hablé en lenguas e interpreté. El se me acercó más tarde y dijo, "Le he oído hablar en Arameo esta noche y luego traducirlo." Cuando le dije que yo no sabía hablar ese idioma, se asombró y preguntó cómo podía ser eso. Le expliqué que estaba hablando en otras lenguas e interpretando las lenguas como la Biblia declara en Primera de Corintios 14:13: *"Por lo cual, el que habla en lengua extraña, pida en oración poder interpretarla."* Cuando el contestó que no aceptaba el Nuevo Testamento, le dije, "Bueno, tu conoces tu Antiguo Testamento, los profetas de Dios estaban ungidos por el Espíritu Santo. Vemos una palabra de sabiduría dada a uno, y una palabra de ciencia dada a otro. Vemos el discernimiento de espíritus y el don de fe especial en acción. También vemos dones de sanidades, el hacer milagros, y profecía. Este era el mismo Espíritu Santo en manifestación, aunque nadie hablaba con el don de lenguas ni interpretaba en aquella dispensación. Las lenguas e interpretación son características de esta dispensación.

El hombre judío quería ver por sí mismo estos dones del Antiguo Testamento registrados en el Nuevo Testamento, así que abrí mi Biblia y se los leí. Y le impresionó tanto el ver este don de lenguas e interpretación demostrados, y luego verlos en la Biblia, que prometió volver a las reuniones. Quería aprender más acerca del Nuevo Testamento y de Jesús el Mesías.

Algunos creen que todo el hablar en lenguas es oración y que aquellos que hablan en lenguas sólo están orando siempre. Creen que la interpretación es sólo una profecía. Pero esto fué el don de lenguas e interpretacion en manifestación. Si yo hubiera estado orando, este hombre judío habría sabido que yo estaba orando porque él sabía ese idioma.

Sin embargo, yo no estaba orando. Estaba dirigiéndome a la congregación a través de la demostración del don de lenguas con la interpretación.

Las Lenguas Para Edificación

Así que vemos que no todas las lenguas son para oración. Pero cuando el creyente que es lleno del Espíritu Santo habla en lenguas en su propia vida privada de oración, esta lengua le es dada para usarla en adoración a Dios: *"El que habla en lengua extraña, a sí mismo se edifica...."* La palabra "edifica" significa edificarse a sí mismo. Los escolares griegos nos dicen que tenemos una palabra en nuestro vernáculo moderno lo cuál está más cerca de su significado original que la palabra "edificar." Esa palabra es "recargar." Usamos esa palabra "recargar" en connección con el recargue de una batería. Una traducción más literal sería, "El que habla en lengua extraña, a sí mismo se edifica, recarga como a una batería."

Este maravilloso, sobrenatural medio de edificación espiritual no es para sólo unos pocos de sus hijos: es para cada uno de ellos. También observa que este "recargarse" o "edificarse" a sí mismo no es ni mental ni física edificación. Es una edificación espiritual. Pablo dijo, *"Porque si oro en lengua extraña, mi espíritu ora ..."* (1 Cor. 14:14). La Biblia Amplificada añade, "... mi espíritu (por el Espíritu Santo en mí) ora, pero mi *mente está sin productividad* ..." Así que el hablar en lenguas no es edificación mental; es

21

edificación espiritual. *"Porque el que habla en lenguas no habla a los hombres, sino a Dios; pues nadie le entiende . . ." (1 Cor. 14:2).* Aquí Pablo no está hablando acerca de diversidades de lenguas, o de las lenguas para ministrar en la asamblea pública; está hablando acerca del individuo creyente lleno del Espíritu utilizando el uso de las lenguas en su vida de oración. *". . . aunque por el Espíritu habla misterios."* Cuando Cornelio y su casa empezaron a hablar en otras lenguas, la Biblia dice, *". . . los oían que hablaban en lenguas, y que MAGNIFICABAN A DIOS"* (Hechos 10:46). ¡El hablar en lenguas es el modo sobrenatural de magnificar a Dios!

El Fruto del Espíritu en el Creyente

GALATAS 5:22,23
22 Mas el fruto de Espíritu es amor, gozo, paz, paciencia, benignidad, bondad, fe,
23 mansedumbre, templanza; contra tales cosas no hay ley.

Algunos argumentan, "Pero muchos que hablan en lenguas no tienen el fruto del Espíritu en sus vidas como debieran tenerlo." Sin embargo, el fruto del que Pablo habla en Gálatas 5:22,23 no es el fruto del bautismo del Espíritu Santo, es el fruto que debería haber en la vida de todo creyente como resultado de haber nacido de nuevo y experimentado el renacimiento del *espíritu* humano. El espíritu humano

nacido de nuevo produce el fruto, porque Jesús dijo, *"Yo soy la vid, vosotros los pámpanos . . ."* (Juan 15:5). El fruto crece en los pámpanos así como el fruto crece en la vida del nacido de nuevo, recreado hijo de Dios por causa de la vida de Cristo en su interior.

El primer fruto mencionado en Gálatas 5:22 es el amor. Aquellos que han recibido el bautismo del Espíritu Santo no tienen necesariamente más amor que otros cristianos por la sencilla razón de que Jesús dijo, *"En esto conocerán todos que sois mis discípulos, si tuviereis amor los unos con los otros"* (Juan 13:35). Juan dijo, *"Nosotros sabemos que hemos pasado de muerte a vida, en que amamos a los hermanos"* (1 Juan 3:14). Así que el amor es fruto del espíritu humano nacido de nuevo; no el fruto del bautismo del Espíritu Santo.

Otro fruto registrado en Gálatas 5 es paz. Yo no tuve mayor paz después de recibir el bautismo del Espíritu Santo que la que tenía antes. *"Justificados, pues, por la fe, tenemos paz . . ."* dice Romanos 5:1.

Los bebés cristianos no han producido ni crecido ningún fruto todavía. Después de todo, no esperamos que un árbol bebé produzca ningún fruto. Se requiere tiempo para que crezca fruto. Sin embargo aquel cristiano bebé puede ser lleno del Espíritu Santo y tener poder en su vida. Los corintios eran bebés. Pablo dijo, *De manera que yo, hermanos, no pude hablaros como a espirituales, sino como a carnales, como a niños en Cristo"* (1 Cor. 3:1).

Sin embargo dijo, *"nada os falta en ningún don"* (1 Cor. 1:7). También date cuenta de que el fruto del espíritu es para SANTIDAD — mientras que el bautismo del Espíritu Santo es para PODER. Puedes ser santo sin tener poder, y puedes tener poder sin ser muy santo. Pero una combinación de los dos es lo mejor. He visto a quienes son cristianos maravillosos y tienen un fruto del espíritu maravilloso, pero no hay ningún poder en sus vidas. Luego conozco a otros que son en verdad casas de poder para Dios, pero es evidente que necesitan desarrollar un poco más de fruto en sus vidas.

Es maravilloso lo que el Señor está haciendo en estos días. Dios nos ha dado un medio sobrenatural para comunicarnos con El. Nos ha dado un medio sobrenatural para levantarnos, para edificarnos a nosotros mismos espiritualmente. ¿Estamos usándolo?

Estoy completamente convencido de que si respondiéramos al Espíritu Santo, El nos mostraría cosas en el futuro, ya que El sabe lo que el futuro va a traer, y El nos equipará para lo que nos espera adelante.

El orar y hablar en lenguas es un medio para edificarnos espiritualmente y así estar listos para todo lo que el futuro nos traiga.

Texto Para Memorizar:
"El que habla en lengua extraña, a sí mismo se edifica..." (1 Cor. 14:4).

LA LECCION EN ACCION: *"Pero sed hacedores de la Palabra, y no tan solamente oidores..."* (Santiago 1:22).

¿Es Bíblico el Esperar con Demora para Recibir el Espíritu Santo? (Parte 1)

Textos Bíblicos: Hechos 2:1-4; 8:5-8,12-17; 10:44-46; 19:1-3,6; 9:11,12,17
Verdad Central: La plenitud de los creyentes del Nuevo Testamento del Espíritu Santo debería ser nuestro modelo hoy en día para recibir esta bendita experiencia.

Muchos han pensado que la demora es un prerequisito para recibir el bautismo del Espíritu Santo.

Claro que creo en demorarme delante del Señor. Creo en esperar y orar larga y fervorosamente delante del Señor. Muchas veces en nuestras reuniones hemos esperado cinco y seis horas en el Señor en oración.

Sin embargo cuando veo a gente esperar y orar, llorando y agonizando para recibir el Espíritu Santo, se me rompe el corazón, porque sé que *esa "demora"* no es necesaria.

Antes del día de Pentecostés, Jesús les dijo a Sus discípulos, *"... pero quedaos vosotros en la ciudad de Jerusalén, hasta que seáis investidos de poder desde lo alto"* (Lucas 24:49).

Algunos han supuesto que esta es la fórmula de la Biblia para recibir el Espíritu Santo. Si fuera una fórmula para recibir, sin embargo, no tendríamos el derecho de quitar la palabra "Jerusalén" fuera de su texto. Jesús no sólo les dijo que esperaran, o que se "quedaran," sino que les dijo que se quedaran en Jerusalén. ¿Por qué no les dijo que esperaran en Belén? ¿Por qué no les dijo que esperaran en Jericó? Porque era necesario que esperaran en Jerusalén, ya que la Iglesia debía tener su principio allí.

HECHOS 2:1-4

1 Cuando llegó el día de Pentecostés, estaban todos unánimes juntos.
2 Y de repente vino del cielo un estruendo como de un viento recio que soplaba, el cual llenó toda la casa donde estaban sentados;
3 y se les aparecieron lenguas repartidas, como de fuego, asentándose sobre cada uno de ellos.
4 Y fueron todos llenos del Espíritu Santo, y comenzaron a hablar en otras lenguas, según el Espíritu les daba que hablasen.

Los discípulos estaban esperando a que el día de Pentecostés llegara; no estaban esperando una experiencia. No estaban solamente esperando a ser llenos del Espíritu Santo. Si eso hubiera sido verdad, la Biblia habría dicho, "Cuando estaban listos, vino el Espíritu Santo." Pero no lo dice así. Dice, *"Cuando llegó el día de Pentecostés...."* Eso es lo que estaban esperando — el día.

Después del día de Pentecostés

no hay ningún registro en ninguna parte en la Biblia donde cualquiera hubiera esperado, llorado, agonizado, cantado, luchado, o haberse demorado para ser lleno del Espíritu Santo.

Alguien dijo, "Yo creo en recibir el Espíritu Santo de la manera antigua." Yo también. No puedes hacerlo de manera más antigua que la de los Hechos de los Apóstoles. Propongo que miremos en los Hechos, veamos cómo lo hicieron, y sigamos su ejemplo en llevar a la gente a ser llena del Espíritu Santo.

Leyendo a través de los ventiocho capítulos del libro de los Hechos, uno que no sea un estudiante de la Biblia podría suponer que está leyendo algo que sucedío en un período de unos pocos días, unas pocas semanas, o incluso unos pocos años. Sin embargo, los acontecimientos en este libro cubren bastantes años.

Ocho años después del Día de Pentecostés vemos a Felipe llevando el evangelio a la gente de Samaria.

Los Creyentes Llenos en Samaria

HECHOS 8:5-8

5 Entonces Felipe, descendiendo a la ciudad de Samaria, les predicaba a Cristo . . .

6 Y la gente, unánime, escuchaba atentamente las cosas que decía Felipe, oyendo y viendo las señales que hacía.

7 Porque de muchos que tenían espíritus inmundos, salían éstos dando grandes voces; y muchos paralíticos y cojos eran sanados;

8 así que había grande gozo en aquella ciudad.

El gozo no es necesariamente una característica de ser lleno del Espíritu Santo. Esta gente tenía grande gozo *antes* de ser llenos del Espíritu. Podemos tener gozo antes, y podemos tener gozo después. Es gozoso el ser salvo. Es gozoso sanarse. Es gozoso el gozar de las bendiciones de Dios.

HECHOS 8:12-17

12 Pero cuando creyeron a Felipe que anunciaba el evangelio del reino de Dios y el nombre de Jesucristo se bautizaban hombres y mujeres.

13 También creyó Simón mismo, y habiéndose bautizado, estaba siempre con Felipe; y viendo las señales y grandes milagros que se hacían, estaba atónito.

14 Cuando los apóstoles que estaban en Jerusalén oyeron que Samaria había recibido la palabra de Dios, enviaron allá a Pedro y a Juan;

15 los cuales, habiendo venido, oraron por ellos para que recibiesen el Espíritu Santo,

16 porque aún no había descendido sobre ninguno de ellos, sino que solamente habían sido bautizados en el nombre de Jesús.

17 Entonces les imponían las manos, y recibían al Espíritu Santo.

Felipe tuvo un avivamiento glorioso en Samaria. Cientos de personas debieron ser salvos y tantos sanados. Y todos recibieron el Espíritu Santo. Notemos, también, que recibieron sin esperar, sin orar, sin agonizar, y sin excepción ni desilusionamiento.

Los Creyentes Llenos en la Casa de Cornelio

Luego diez años después del Día de Pentecostés, la Biblia nos cuenta acerca de Pedro yiendo a la casa de Cornelio para llevar el evangelio.

En el décimo capítulo de los Hechos, vemos que un ángel apareció a Cornelio y le dijo que enviara a Jopa y preguntara en la casa de cierto individuo por Simón Pedro, quien, *"te hablará palabras por las cuales serás salvo tú, y toda tu casa"* (Hechos 11:14).

Hasta este entonces, ni Cornelio ni su casa habían sido salvos. Eran judíos proselitos. No sabían que Jesús había muerto. Una persona no puede ser salva sin oir el evangelio, así que Pedro les predicó. Ellos creyeron y fueron nacidos de nuevo *mientras Pedro estaba predicando,* y ellos recibieron el Espíritu Santo y hablaron en lenguas ¡antes de que él hubiera acabado su mensaje!

HECHOS 10:44-46

44 Mientras aún hablaba Pedro estas palabras, el Espíritu Santo cayó sobre todos los que oían el discurso.
45 Y los fieles de la circuncisión que habían venido con Pedro se quedaron atónitos de que también sobre los gentiles se derramase el don del Espíritu Santo.
46 Porque los oían que hablaban en lenguas, y que mangificaban a Dios. . . .

Fíjate que fueron salvos y llenos del Espíritu Santo, hablando en lenguas, sin tener que esperar — sin demorar, alabar, o cantar. Cometemos un error al pensar que las cosas deben ser hechas de cierto modo — excepto el modo bíblico. Dios no tiene métodos rígidos. Mientras Pedro aún estaba predicando, esta gente recibieron el Espíritu Santo. También he visto a quienes han recibido el Espíritu Santo mientras yo estaba hablando.

Los Creyentes Llenos en Efeso

Luego veinte días después de Pentecostés, Pablo viajó a Efeso. Allí conoció a varios creyentes y les introdujo la Persona del Espíritu Santo, como vemos en Hechos 19:

HECHOS 19:1-3,6

1 Aconteció que entre tanto que Apolos estaba en Corinto, Pablo después de recorrer las regiones superiores, vino a Efeso, y hallando a ciertos discípulos.
2 les dijo, ¿Recibisteis el Espíritu Santo cuando creisteis? Y ellos le dijeron: Ni siquiera hemos oído si hay Espíritu Santo.
3 Entonces dijo: ¿En qué, pues, fuisteis bautizados? Ellos dijeron: En el bautismo de Juan.
6 Y habiéndoles impuesto Pablo las manos, vino sobre ellos el Espíritu Santo; y hablaban en lenguas y profetizaban.

Como vemos en los versículos anteriores, los creyentes en Efeso nunca habían oído acerca del Espíritu Santo. Pero cuando Pablo les impuso las manos, el Espíritu Santo vino sobre ellos, y hablaron en lenguas.

Cada uno de ellos — sin esperar, sin alabar, y sin demorarse — fueron llenos del Espíritu Santo y hablaron en otras lenguas así como el Espíritu de Dios les daba el denuedo. Pablo les dijo a los Efesios, *"¿Recibisteis...?"* No les dijo, "he venido aquí para orar para que Dios derrame el Espíritu Santo sobre vosotros." El Espíritu Santo ya había sido derramado en el día de Pentecostés.

(Vimos anteriormente en Hechos 8, que los apóstoles en Jerusalén enviaron a Pedro y a Juan a Samaria para que impusieran las manos a los convertidos de Felipe para recibir el Espíritu Santo. No les enviaron para que esperaran con demora en Dios por el Espíritu Santo.)

La Plenitud del Espíritu de Pablo

Pablo, quien impuso las manos sobre los Efesios, previamente fué conocido como Saulo de Tarso. La narración de su experiencia de recibir el Espíritu Santo es encontrada en el capítulo nueve de los Hechos:

HECHOS 9:11,12,17
11 Y el Señor le dijo, Levántate, y vé a la calle que se llama Derecha, y busca en casa de Judas a uno llamado Saulo, de Tarso, porque he aquí, el ora,
12 y ha visto en visión a un varón llamado Ananías, que entra y le pone las manos encima para que recobre la vista.
17 Fue entonces Ananías y entró en la casa, y poniendo sobre él las manos, dijo: Hermano Saulo, el Señor Jesús, que se te apareció en el camino por donde venías, me ha enviado para que recibas la vista y seas lleno del Espíritu Santo.

Saulo, más tarde conocido como Pablo, recibió el Espíritu Santo inmediatamente. No tubo que demorarse o esperar.

"Pero no dice que habló en lenguas," puede que alguien objecione. Es verdad que no se menciona esto específicamente aquí, pero Pablo mismo más tarde dice que habló en lenguas: *"Doy gracias a Dios, que hablo en lenguas más que todos vosotros"* (1 Cor. 14:18). Sabemos que no empezó a hablar en lenguas *antes* de recibir el Espíritu Santo, así que no sería demasiado difícil averiguar cuándo empezó. Empezó cuando recibió el Espíritu Santo, tal y como el resto de nosotros hacemos, porque las lenguas van con aquella experiencia.

"Pero yo recuerdo esos momentos maravillosos que tuve buscando a Dios durante varios años antes de ser lleno," alguien me dijo en cierta ocasión.

"¿Has parado de buscar a Dios?" le pregunté. "Yo recuerdo el tiempo que tuve la semana pasada buscando a Dios. Yo recuerdo el tiempo que tuve al buscar a Dios hoy. Yo creo en buscar a Dios y esperar en el. Los creyentes llenos del Espíritu Santo necesitan buscar a Dios *tanto como* aquellos que no están llenos."

"Sí, pero yo aprendí muchas lecciones," dijo cierto hombre.

"Podrías haberlas aprendido mucho más rápidamente *con* el Espíritu Santo de lo que hiciste *sin* El," le dije. "¿Y no es verdad que lo que aprendiste cuando fuiste lleno fué que no tenías por qué haber hecho toda aquella espera?"

El se rió y dijo, "Tienes toda la razón. Lo primero que dije después de recibir fué que si sólo alguien me lo hubiera dicho, podría haber recibido hace años."

No tenemos que esperar cinco años, cinco semanas, o incluso cinco minutos. ¡El bautismo del Espíritu Santo es un don que todo creyente puede recibir *ahora mismo!*

Texto Para Memorizar:

"He aquí, yo enviaré la promesa de mi Padre sobre vosotros; pero quedaos vosotros en la ciudad de Jerusalén, hasta que seáis investidos de poder desde lo alto" (Lucas 24:49).

LA LECCION EN ACCION: *"Pero sed hacedores de la Palabra, y no tan solamente oidores..."* (Santiago 1:22).

¿Es Bíblico el Esperar con Demora Para Recibir el Espíritu Santo? (Parte 2)

Textos Bíblicos: Juan 7:37-39; Lucas 24:49; Hechos 2:4

Verdad Central: Para recibir el Espíritu Santo, bebe del Espíritu de Dios y te será dado el denuedo.

En la última lección, leimos cada instancia registrada en el Nuevo Testamento donde la gente recibió el Espíritu Santo durante un período de veinte años.

Hallamos que no hay absolutamente nada en las Escrituras que se parezca a lo que llamaríamos una "reunión de espera" para que la gente sea llena del Espíritu Santo. En cada instancia donde la gente buscó al Espíritu Santo, todos recibieron al instante. Ni una persona se fué frustrada. Por lo tanto, si les enseñáramos esto a la gente hoy en día, recibirían de la misma manera — la manera de los Hechos de los Apóstoles — la manera del Nuevo Testamento.

He tenido el bautismo del Espíritu Santo desde 1937, y nunca les he dicho a nadie que esperasen o se demorasen para poder recibir el Espíritu Santo. Siempre les he dicho a la gente, "Ven y recibe el Espíritu Santo." Y la gente en todo lugar han venido y han recibido el bautismo del Espíritu Santo en mis reuniones.

Mira la Palabra, no las Experiencias

La iglesia primitiva no tenía un método de tratar de recibir el bautismo del Espíritu Santo y no encontrarlo, o de ir y venir sin recibir. Deberíamos ser bíblicos y decirles a la gente lo que la Palabra de Dios dice. Demasiado amenudo la gente dice lo que *piensa*. Dan su teoría, o cuentan su *experiencia*. Pablo, sin embargo, le dijo a Timoteo, "Predica la Palabra." No le dijo, "Timoteo, dí lo que piensas acerca de la Palabra." No dijo, "Timoteo, da tu teoría acerca de esto y aquello." La predicación de teoría sólo produce duda e incredulidad. ¡Los hechos de la Palabra de Dios producen fe! Por eso la Biblia dice, *"Así que la fe es por el oir, y el oir, por la Palabra de Dios"* (Romanos 10:17).

Está bien referirse a una experiencia, pero debemos magnificar la Palabra *por encima* de la experiencia. Todos tendrán su propia experiencia sobre la forma de recibir el bautismo del Espíritu Santo, ya que las experiencias varían. Todos hablaremos en lenguas pero algunos tendrán experiencias adicionales. Esto no quiere decir, sin embargo, que uno tendrá más del Espíritu Santo que otro.

Algunos han contado experiencias al recibir el Espíritu Santo de ver un rayo de luz que parecía bajar a través del techo; otros han contado de ver una bola de fuego. Yo nunca he visto un rayo de luz o bola de fuego, pero estoy tan lleno del Espíritu Santo como cualquiera. Tengo la evidencia bíblica: hablo en lenguas.

No dudo que tal experiencias ocurran, pero Dios no nos prometió "experiencias." Si suceden, bien; pero no las busques. Sí que tienes el derecho, sin embargo, de buscar para ser lleno del Espíritu y hablar en lenguas.

Muchos también tienen experiencias poco comunes al ser nacidos de nuevo. Por ejemplo, cuando Pablo fué convertido, vió una luz y oyó una voz. *"Mas yendo por el camino, aconteció que al llegar cerca de Damasco, repentinamente le rodeó un resplandor de luz del cielo; y cayendo en tierra, oyó una voz que le decía: Saulo, Saulo, ¿por qué me persigues?"* (Hechos 9:3,4). Sin embargo, cuando yo nací de nuevo, no ví ninguna luz ni oí ninguna voz, pero estoy tan nacido de nuevo como Pablo.

Pablo nunca les dijo a la gente que tenían que convertirse de la misma manera que él, o ver una luz u oir una voz como él hizo. El se refirió a esta experiencia en ocasiones, pero esta es la forma en que enseñó a la gente a ser salva: *"... Que si confesares con tu boca que Jesús es el Señor, y creyeres en tu corazón que Dios le levantó de los muertos, serás salvo"* (Rom. 10:9). Damos gracias a Dios por la experiencia que Pablo tuvo de recibir el Espíritu Santo, pero no deberíamos usar ninguna experiencia como norma. *Magnifica la Palabra, y deja que cada uno tenga su propia experiencia.*

Demasiadas veces no se le ha dado a la gente ningunas instrucciones sobre el modo bíblico de recibir el Espíritu Santo. O incluso peor, reciben instrucciones *incorrectas.* Cuando no reciben, alguien les da un toque en la espalda y les dice, "Mejor suerte la próxima vez." Sin embargo, no recibimos de Dios por la "suerte"; recibimos de Dios por la fe.

Muchos se han ido descorazonados. Aquellos que hubieran recibido el Espíritu Santo han sido obstaculizados para recibir. A mucha gente honesta, sincera, e inteligente se les ha ahuyentado por medio de práctica sin base bíblica.

Debemos decirles a la gente *lo que la Palabra dice. "La exposición de tus palabras alumbra..."* (Salmo 119:130). Las instrucciones correctas ahorrarán horas de búsqueda innecesaria.

'Ven y Bebe'

En el capítulo siete del evangelio de Juan, Jesús habla acerca de recibir el Espíritu Santo.

JUAN 7:37-39
37 En el último y gran día de la fiesta, Jesús se puso en pie y alzó la voz, diciendo: Si alguno tiene sed, venga a mí y BEBA.
38 El que cree en mí, como dice la Escritura, DE su interior correrán

RIOS de agua viva.

39 Esto dijo del ESPIRITU que habían de recibir los que creyesen en él; pues aún no había venido el Espíritu Santo, porque Jesús no había sido glorificado.

En este pasaje, Jesús está hablando acerca de recibir el bautismo del Espíritu Santo. Estos son ríos fluyendo del interior del *creyente.* Observa en Juan 4:14, Jesús le dijo a la mujer de Samaria, *". . . el agua que yo le daré será EN él una FUENTE de agua que salte para vida eterna."* Esto se refiere a la salvación.

Así que en Juan 7:38 la referencia es a RIOS, y en Juan 4:14, la referencia es a una FUENTE. Es evidente que estas son dos experiencias distintas a las que Jesús se está refiriendo. Una — la fuente — es la bendición del Nuevo Nacimiento en *ti.* Te bendice a ti. Es la fuente de agua dentro de ti la que salta para vida eterna. Se refiere a la salvación.

La otra experiencia — los ríos — es el bautismo del Espíritu Santo, y éso te hace una bendición a *otros.* Son esos ríos que fluyen hacia *fuera* de ti — es el investimiento de poder que Jesús prometió en Lucas 24 — y está al alcance de todo creyente.

LUCAS 24:49

49 He aquí, yo enviaré la promesa de mi Padre sobre vosotros; pero quedaos vosotros en la ciudad de Jerusalén, hasta que seáis investidos de poder desde lo alto.

También nota que en referencia a recibir el bautismo del Espíritu

Santo. Jesús dijo, "Ven y bebe" — no "Ven y aclama, ven y ora, o ven y alaba." El dijo, "Ven y bebe," no, "Ven y luego vete vacío."

Cometemos un error al no tomar lo que dijo Jesús con la simpleza en que El lo dijo. ¿Puedes beber y hablar al mismo tiempo? ¿Has tratado alguna vez de beber agua y hablar? ¿Puedes beber y cantar o alabar al mismo tiempo? El Espíritu Santo está presente para darte el denuedo, pero no puedes beber y hablar al mismo tiempo. ¡Así que dile al candidato que pare de hablar en español y empiece a beber del Espíritu! ¡Dile que *el* debe hablar en lenguas! El Espíritu Santo obrará en sus órganos vocales, labios, y lengua, y pondrá palabras sobrenaturales en sus labios, pero el candidato mismo debe hablar esas palabras en voz alta.

El Espíritu Santo da el denuedo, pero el hombre es el que habla.

HECHOS 2:4

4 Y fueron (ellos) todos llenos del Espíritu Santo, y comenzaron (ellos) a hablar en otras lenguas, según el Espíritu les daba (a ellos) que hablasen.

"Ellos" es el sujeto implícito. Ellos fueron los que hablaron. El Espíritu Santo les dió a *ellos* el denuedo.

Simplemente bebe del Espíritu. Bebe hasta llenarte; cuando estés lleno, el Espíritu Santo te dará el denuedo en lenguas.

Alguien pudiera preguntar, "¿Estás tratando de insinuar que ya no hay necesidad de esperar con demora?" No, no estoy tratando de insinuarlo; ¡lo estoy *declarando* abiertamente! ¡Ya no hay necesidad de esperar con demora! Jesús dijo, "Ven y bebe."

¿Cuánto tiempo te cuesta beber? Jesús dijo que es tan sencillo el beber del Espíritu — osea, ser lleno del Espíritu — como beber agua, o ser lleno de agua. Por otra parte, el beber agua, o ser lleno de agua es algo que *tu* haces, no algo que el agua hace. El beber del Espíritu Santo y ser lleno del Espíritu Santo es algo que *tu* haces, no algo que lo hace el Espíritu Santo.

La Plenitud del Espíritu Santo: Un Don

No podemos hacer nada para merecernos al Espíritu Santo al igual que no podemos hacer nada para merecernos la salvación. Los bebés en Cristo pueden recibir el Espíritu Santo tan sencillamente como los cristianos maduros. No recibimos al Espíritu Santo porque nos hemos graduado a un cierto grado maravilloso de espiritualidad por encima de todos los demás, y por eso Dios pone su sello en nosotros declarando que somos perfectos.

El Espíritu Santo es un don. "... *recibiréis el don del Espíritu Santo*" (Hechos 2:38). Si has nacido de nuevo, estás listo para recibir el don del Espíritu Santo. Si tienes que hacer algo para recibir el Espíritu Santo, entonces el recibirle a El cesa de ser un don y llega a ser una recompensa.

Algunos piensan que lo hago demasiado fácil para la gente el recibir el Espíritu Santo. Pero yo no fuí quien lo hizo fácil. Fué Jesús. Yo no fuí el que puso el recibir el Espíritu Santo al nivel de un don: Fué Dios.

Alguien dijo, "Sí, pero yo no creo en guiar a la gente paso a paso al Espíritu Santo. Si el "guiarles paso a paso" significa que más gente son llenas del Espíritu Santo más rápidamente, entonces, ¿cree esa misma persona en "guiar a la gente paso a paso" a la salvación? ¿Cree en llevar a la gente a la salvación tan rápidamente como sea posible para asegurarse de que no se mueran mientras tanto y vayan al infierno? ¿O si enfermos, cree esa persona en "guiar a la gente paso a paso" a la sanidad, o dejarlos que sufran un poco más?

La salvación es un don. La sanidad es un don. El Espíritu Santo es un don. ¡Pudes recibir uno de los dones tan rápidamente como recibes cualquiera de los demás!

Al leer en los Hechos de los Apóstoles, vemos que la Iglesia Primitiva creía que la gente fuera llena del Espíritu Santo tan pronto como querían que fueran salvos o sanos. (Esto lo vimos en la lección pasada.) Yo no solamente creo en guiar a la gente paso a paso, sino que creo ¡en lanzarles paso a paso!

Tomando la Ruta Directa

La tierra de Canaan es un tipo del bautismo del Espíritu Santo, y de nuestros derechos y privilegios en Cristo. Algunos han pensado que era un tipo del Cielo. Pero Canaan no podría ser un tipo del Cielo. En el cielo no habrá ciudades que conquistar ni batallas que pelear. El último enemigo — la muerte — habrá sido conquistado. No habrá ningún enemigo ni gigantes en la tierra allí.

Israel salió de Egipto, el cual es un tipo del mundo. El pueblo de Israel fueron bautizados (el pasar por el Mar Rojo era un tipo del bautismo de agua). Todos ellos bebieron de Cristo. (La roca de la cual fluyó agua era Cristo.) Hubieran podido ir directamente a Canaan, pero a causa de su incredulidad y desobediencia, anduvieron vagando en el desierto durante cuarenta años. Cuando finalmente llegaron, se dieron un desvío.

Si quieres desviarte antes de recibir el bautismo del Espíritu Santo, puedes hacerlo. Puedes desviarte yiendo al altar, desviarte esperando con demora, desviarte de muchas maneras. Pero también puedes acudir directamente al bautismo del Espíritu Santo. La puerta está abierta.

Otra forma de decirlo sería así: Si quieres ir a una ciudad cercana, puedes ir directamente allí. O si quieres, puedes ir a través de San Luis, o irte a Memphis, luego por abajo a Atlanta, de vuelta a New Orleans, etc. No tienes porqué, pero puedes hacerlo si quieres. Es lo mismo con recibir el Espíritu Santo. Puedes desviarte si quieres, pero ¿por qué no tomar la ruta directa y recibir el Espíritu Santo por la fe?

Alguien dijo, "Más gente ha recibido el Espíritu Santo después de medianoche que a ningún otro tiempo." Mi respuesta a esto es, si recibieron el Espíritu Santo *después de medianoche es porque no creyeron a Dios antes* de medianoche. Dios no es diferente después de medianoche que antes de medianoche.

Luego hay quienes avisan, "Ten cuidado de no ponerte en la carne." Pero no puedes recibir el bautismo del Espíritu Santo de otra forma que en la carne. ¡Toda persona que ha recibido el Espíritu Santo fué en la carne!

En el día de Pentecostés, Pedro citó la profecía de Joel, diciendo, "*Y después de esto derramaré mi Espíritu sobre toda carne...*" (Joel 2:28). Pablo dijo, "*¿O ignorais que vuestro cuerpo es templo del Espíritu Santo...?*" (1 Cor. 6:19).

Para recibir el Espíritu Santo, abre tu ser con un fuerte deseo de Dios. En fe sencilla, respira, bebe del Espíritu de Dios, y te será dado. Si eres lo suficientemente sencillo en fe y lo suficientemente fuerte en valor, puedes hablar esa emisión ahora mismo. Si puedes beber agua, puedes beber del Espíritu ahora mismo. Estoy citando buena autoridad — el Señor Jesucristo.

Texto Para Memorizar:
"*... Si alguno tiene sed, venga a mí y beba*" (Juan 7:37).

LA LECCION EN ACCION: *"Pero sed hacedores de la Palabra, y no tan solamente oidores..."* (Santiago 1:22).

Diez Razones Por las Cuáles Todo Creyente Debería Hablar en Lenguas (Parte 1)

Textos Bíblicos: Hechos 2:4; 1 Corintios 14:4; Juan 14:16,17; Romanos 8:26; Judas 20

Verdad Central: El hablar en lenguas es un arroyo fluyente que nunca debería secarse; enriquecerá tu vida espiritual.

El apóstol Pablo escribió y habló en longitud sobre el tema del hablar en lenguas. El aparentemente practicaba lo que predicaba, ya que dijo, *"Doy gracias a Dios que hablo en lenguas más que todos vosotros"* (1 Cor. 14:18).

Yo, también, doy gracias a Dios que hablo en lenguas con regularidad, y desearía que todo creyente conociera esta bendición y fuente de poder en su vida diaria.

El propósito de las dos lecciones siguientes es el exponer razones por las que todo cristiano debería hablar en lenguas, y para ayudar a los cristianos a ver las bendiciones que pueden ser suyas por el apropiar el poder del Espíritu Santo diariamente.

Razón 1 — Las Lenguas, Señal Inicial

HECHOS 2:4

4 Y fueron todos llenos del Espíritu Santo, y comenzaron a hablar en otras lenguas, según el Espíritu les daba que hablasen.

La palabra de Dios enseña que cuando somos llenos del Espíritu Santo hablamos en otras lenguas según el Espíritu nos da que hablemos. Las lenguas son evidencia o señal inicial del bautismo del Espíritu Santo. Por lo tanto, la primera razón por la cual la gente debería hablar en otras lenguas es porque ésta es la evidencia sobrenatural de la morada interior del Espíritu.

En Hechos 10, leemos que los hermanos judíos que fueron con Pedro a la casa de Cornelio se asombraron al ver que el don del Espíritu Santo era derramado en los gentiles. Habían creído que era sólo para los judíos.

¿Cómo *supieron* estos judíos que la casa de Cornelio había recibido el Espíritu Santo? *"Porque LOS OIAN QUE HABLABAN en lenguas, y que magnificaban a Dios"* (Hechos 10:46).

El hablar en lenguas fué la señal sobrenatural que los convenció que los gentiles tenían el mismo don que ellos.

Razón 2 — Las Lenguas para Edificación Espiritual

1 CORINTIOS 14:4

4 El que habla en lengua extraña, a

sí mismo se edifica. . . .

Al escribir a la Iglesia en Corinto, Pablo anima a los creyentes a continuar la práctica de hablar en otras lenguas en adoración y en sus vidas privadas de oración para edificación espiritual, o levantamiento.

"Porque el que habla en lenguas, no habla a los hombres, sino a Dios; pues nadie le entiende, aunque por el Espíritu habla misterios" (1 Cor. 14:2). La traducción de Moffatt dice que habla "secretos divinos." ¡Pablo está diciendo aquí que Dios ha dado a la Iglesia un medio divino, sobrenatural de comunicación con El mismo!

En el versículo 14 de este capítulo Pablo dijo, *"Porque si yo oro en lengua desconocida, mi espíritu ora, pero mi entendimiento queda sin fruto."* Fíjate que dice, "mi espíritu ora."

La Biblia Ampliada dice, "Mi espíritu (a través del Espíritu Santo en mí) ora.

Dios es Espíritu. Cuando oramos en lenguas, nuestro espíritu está en contacto directo con Dios, quien es Espíritu. Estamos hablándole en un medio divino, sobrenatural.

Howard Carter, quien era el superintendente general de las Asambleas de Dios en Gran Bretaña durante muchos años y fundó la Escuela Bíblica Pentecostal más antigua del mundo, dijo que no debemos olvidar que el hablar en lenguas no es sólo la evidencia inicial de la morada interior del Espíritu Santo; sino *también* es una experiencia contínua para el resto de la vida

de uno. ¿Con qué propósito? Para asistirnos en la adoración de Dios. El hablar en lenguas es un arroyo fluyente que no debería secarse nunca; enriquecerá tu vida espiritual.

Razón 3 — Las Lenguas Nos Recuerdan de la Presencia Moradora del Espíritu

JUAN 14:16,17

16 Y yo rogaré al Padre, y os dará otro Consolador, para que esté con vosotros para siempre:

17 el Espíritu de verdad, al cual el mundo no puede recibir, porque no le ve, ni le conoce; pero vosotros le conocéis, porque mora con vosotros, y estará en vosotros.

El continuar orando y adorando a Dios en lenguas nos ayuda a estar siempre conscientes de Su presencia interior moradora. Si puedo estar consciente de la presencia moradora del Espíritu Santo cada día, sin duda afectará mi forma de vida.

La hija de 12 años de cierto pastor, en cierta ocasión perdió el control de su genio y habló muy brusca y odiosamente a su madre. Un visitante evangelista presenció la escena. Cuando la niña levantó su mirada y lo vió, sabiendo que él había presenciado su rabieta, se sintió avergonzada y estalló en lágrimas.

El evangelista le preguntó si había sido llena del Espíritu Santo. Cuando élla contestó que sí, él le recordó que el Espíritu Santo estaba en ella. Oraron juntos y ella le pidió perdón al Señor. Mientras en oración, ella empezó a adorar a Dios en lenguas.

Al terminar de orar, el evangelista le dijo, "Hay un secreto que te ayudará a controlar tu genio. Si oras y adoras a Dios cada día en lenguas, te ayudará a estar consciente de la presencia moradora del Espíritu Santo. Si recuerdas que está en ti, no actuarás de esa forma."

Varios años más tarde cuando el evangelista volvió a predicar en aquella iglesia, la niña le dijo, "Nunca me he olvidado de lo que me dijo. Cada día durante los últimos años he orado y adorado a Dios en lenguas y nunca más he perdido el control otra vez."

Desafortunadamente, todos conocemos a gente que han sido llenos del Espíritu Santo, pero que aún pierden el genio y dicen o hacen cosas que no deberían. Esto es sólo porque no han estado andando en el Espíritu como deberían.

Es tan fácil, cuando no estamos conscientes de Su presencia, de volvernos irritables y frustrados. Pero si tomamos el tiempo para comunicarnos con El, podemos estar conscientes de Su presencia moradora.

Razón 4 — Las Lenguas Mantendrán Oraciones de Acuerdo con La Voluntad de Dios

ROMANOS 8:26

26 Y de igual manera el Espíritu nos ayuda en nuestra debilidad; pues qué hemos de pedir como conviene, no lo sabemos, pero el Espíritu mismo intercede por nosotros con gemidos indecibles.

El hablar en lenguas mantiene el egoísmo fuera de nuestras oraciones. Si oro una oración de mi propia mente y de mi propio pensar, podría ser no basada en las Escrituras. Podría ser egoísta.

Demasiadas veces nuestras oraciones son como las del viejo agricultor que siempre oraba, "Dios, bendíceme a mí, a mi esposa, a mi hijo Juan, y a su esposa — a nosotros cuatro y a nadie más."

En la Escritura citada anteriormente Pablo no dijo que no sabíamos cómo orar, ya que sí sabemos: Oramos al Padre en el Nombre del Señor Jesucristo. Esta es la forma correcta de orar. Pero sólo porque sé *cómo orar* no significa que sepa por *qué he de orar* como debiera. Pablo dijo, "... *pues qué hemos de pedir como conviene no lo sabemos, pero el Espíritu mismo intercede por nosotros con gemidos indecibles.*"

P. C. Nelson dijo que aquí el griego literal lee, "El Espíritu Santo intercede por nosotros con gemidos que no pueden ser dichos en lenguaje articulado." (Lenguaje articulado se refiere a nuestro lenguaje regular.) El continuó señalando que el griego remarca que esto no sólo incluye gemidos que escapan nuestros labios en oración, sino también al orar en otras lenguas.

Esto concuerda con lo que Pablo dijo en Primera de Corintios 14:14: "*Porque si yo oro en lengua desconocida, mi espíritu ora...*" La Biblia Ampliada dice, "Mi espíritu (por el Espíritu Santo en mí) ora."

Cuando oras en lenguas, es tu espíritu orando por medio del

Espíritu Santo dentro de ti. Es el Espíritu Santo en ti dándote la emisión, y tú lo expresas fuera de tu espíritu. Tu eres quien hablas; El te da las palabras.

Por ese método el Espíritu Santo te está ayudando a orar de acuerdo con la voluntad de Dios, que es el modo en que deberíamos orar por las cosas. Esto no es algo que el Espíritu Santo hace aparte de ti. El no gime o habla en lenguas aparte de ti. Esos gemidos salen de dentro de ti y escapan tus labios.

El Espíritu Santo no va a hacer nuestras oraciones por nosotros. El fué enviado para morar en nosotros como nuestro Ayudador e Intercesor. El no es *responsable* de nuestra vida de oración; fué enviado para ayudarnos a orar. El hablar en otras lenguas es orar a medida que el Espíritu da la emisión. Es oración dirigida por el Espíritu. Elimina la posibilidad de egoísmo en nuestras oraciones.

Muchas veces cuando la gente ha orado desde su propia mente, han cambiado cosas que en realidad no eran la voluntad de Dios ¡y no eran lo mejor para ellos!

Si el pueblo de Dios quiere algo de cierto modo, incluso si no es lo mejor para ellos, o no es la perfecta voluntad de Dios, El a menudo lo permite. Recuerda, Dios no quería que Israel tuviera rey, pero ellos querían uno, así que El se lo permitió. Pero no era Su más alta voluntad.

Razón 5 — El Orar en Lenguas Estimula la Fe

JUDAS 20

20 Pero vosotros, amados, edificándoos sobre vuestra santísima fe, orando en el Espíritu Santo.

La quinta razón por la que cada creyente debería hablar en lenguas es porque estimula la fe y nos ayuda a aprender a confiar en Dios más plenamente.

Ya que el Espíritu Santo sobrenaturalmente dirije las palabras que hablo, *la fe debe ser ejercitada para hablar en lenguas.* No sé cuál va a ser la palabra siguiente — confío en el Señor para ello. Y el confiar en Dios en esta área de la vida me ayuda a confiar en El en otra.

En una iglesia de campo que yo pastoreé en cierta ocasión había una muy buena mujer creyente. Ella amaba al Señor con todo su corazón, pero tenía un estómago con úlceras, y los doctores temían que conduciría a cáncer. Su esposo ganaba buen dinero, pero había gastado todo lo que tenía en cuentas médicas. Yo a veces me quedaba en su casa.

Poco después de que esta mujer recibiera el bautismo del Espíritu Santo, visité su hogar nuevamente. Me fijé en que estaba comiendo todo lo que quería cuando antes sólo podía comer un poco de comida para bebés y leche, y aún tenía dificultad manteniéndolo en el estómago.

Ella me dijo, "Recibí no sólo el bautismo del Espíritu Santo y hablé en otras lenguas, pero también recibí mi sanidad. Estoy perfectamente bien."

He visto como esto ha ocurrido muchas veces. ¿Cuál es la relación? Sabemos que el recibir el bautismo del Espíritu Santo no nos sana. Sin embargo, el hablar en lenguas nos ayuda a aprender a confiar en Dios más plenamente.

En nuestra próxima lección estudiaremos las otras cinco razones por las cuales todo creyente debería hablar en otras lenguas.

Texto Para Memorizar:
"Doy gracias a Dios que hablo en lenguas más que todos vosotros" (1 Cor. 14:18).

LA LECCION EN ACCION: *"Pero sed hacedores de la Palabra, y no tan solamente oidores . . ."* (Santiago 1:22).

Lección 10

Diez Razones por las Cuáles Todo Creyente Debería Hablar en Lenguas (Parte 2)

Textos Bíblicos: 1 Corintios 14:28; Isaías 28:11,12; 1 Corintios 14:15-17; Santiago 3:8

Verdad Central: El rendir la lengua al Espíritu Santo para hablar en otras lenguas es un paso gigante hacia el total rendimiento de todos nuestros miembros a Dios.

Demasiados pocos cristianos hoy en día se dan cuenta del poder potencial que les es disponible a través del Espíritu Santo. En esta lección veremos cinco razones más por las cuáles todo creyente debería ser lleno del Espíritu Santo y hablar en lenguas.

Razón 6 — El orar en Lenguas nos Mantiene Libres de la Contaminación Mundada

1 CORINTIOS 14:28
28 Y si no hay intérprete, calle en la iglesia, y hable para sí mismo y para Dios.

La sexta razón por la que todo cristiano debería hablar en lenguas es porque es un medio para mantenernos libres de la contaminación de las habladurías impías, profanas y vulgares a nuestro alrededor en el trabajo o en público.

Fíjate en la Escritura referida anteriormente que podemos orar en lenguas para nosotros mismos. Es distinto en la iglesia. Pablo dijo en cuanto a un servicio en la iglesia, "*Si habla alguno en lengua extraña, sea esto por dos, o a lo más tres, y por turno; y uno interprete. Y si no hay*

intérprete, calle en la iglesia, y HABLE PARA SI MISMO Y PARA DIOS" (1 Cor. 14:27,28).

Si lo hacemos en la iglesia, podemos hacerlo en el trabajo. No molestará a nadie. En la barbería, por ejemplo, si los hombres cuentan chistes vulgares, yo me siento y hablo para mí mismo y para Dios en lenguas. Al conducir el automóvil, ir en autobus, o avión, podemos hablar para nosotros mismos y para Dios. En el trabajo podemos hablar para nosotros mismos y para Dios. El hablar en lenguas para uno mismo y para Dios es un medio de mantenerse a uno mismo libre de contaminación.

Razón 7 — El Orar en Lenguas nos Capacita a Orar por lo Desconocido

La séptima razón por la cual todo creyente debería hablar en lenguas es porque provee un modo para poder orar sobre cosas por las que ninguno pensaría orar, o es consciente de ellas.

Ya sabemos que el Espíritu Santo nos ayuda a orar porque,

"...qué hemos de pedir como conviene, no lo sabemos..." (Romanos 8:26). Además, el Espíritu Santo, quien todo lo sabe, puede orar a través nuestro por cosas acerca de las cuales nuestra mente natural no sabe nada.

En 1956 mientras mi esposa y yo estábamos en California fuí despertado de repente durante la noche. Fué como si alguien me hubiera tocado con su mano. Me senté en la cama de repente, el corazón palpitándome rápidamente.

"Señor, ¿qué es lo que sucede?" pregunté. "Sé que algo no está bien en algún sitio. Espíritu Santo en mí, Tú sabes todas las cosas. Tú estás en todo lugar además de estar en mí. Lo que quiera que sea, Tú dame la emisión."

Oré en lenguas durante una hora y luego empecé a reirme y a cantar en lenguas. (Al orar de esta forma, siempre continúa orando hasta que recibas una nota de alabanza. Entonces sabrás que lo que sea por lo que estabas orando ya ha sido solucionado.)

Sabía que por lo que había orado ya había sucedido. Tenía la respuesta, así que me volví a dormir.

Soñé que ví a mi hermano menor ponerse muy enfermo en Louisiana. Tuvieron que llevarlo al hospital con una ambulancia. Soñé que el doctor salió de la habitación del hospital, cerró la puerta detrás de él, y me dijo que estaba muerto.

Yo le dije, "No, doctor, no está muerto. El Señor me ha dicho que viviría y no moriría." En el sueño el doctor se enfureció conmigo por dudar de su habilidad profesional.

Me llevó adentro del cuarto para que viera por mí mismo que mi hermano estaba verdaderamente muerto.

Levantando la sábana de encima de su cara para probar que estaba muerto, el doctor vió que mi hermano estaba respirando y sus ojos estaban abiertos. Asombrado, el doctor dijo, "Bueno, usted sabía algo que yo no sabía. Está vivo, ¿no es así?" Ví a mi hermano levantarse curado y luego el sueño se acabó. Supe entonces que esto era por lo que había estado orando.

Tres meses más tarde cuando ví a mi hermano, él me dijo, "Casi me morí mientras estabas de viaje." Le dije que ya sabía acerca del ataque que le había dado durante la noche y de que le habían apresurado al hospital.

"¿Cómo lo supiste?" me preguntó. Le conté acerca de mi carga de oración, seguida por el sueño.

El dijo, "¡Así exactamente fué como ocurrió!" Me dijeron que por unos cuarenta minutos allí en hospital el doctor pensó que me había ido."

El orar en el Espíritu provee un medio para orar por cosas sobre las cuales no sabríamos nada en lo natural. El Espíritu Santo, sin embargo, todo lo sabe.

Razón 8 — El Orar en Lenguas Provee un Refrigerio Espiritual

ISAIAS 28:11,12
11 Porque en lenguas de tartamudos, y en extraña lengua hablará a este pueblo.
12 a los cuales él dijo: Este es el reposo; dad reposo al cansado; y este es el refrigerio; mas no quisieron oir.

¿Cuál es el reposo, el refrigerio al que se refieren las escrituras de arriba? El hablar en otras lenguas.

A veces el doctor recomienda que la gente tome una cura de reposo, pero yo conozco la mejor del mundo. A menudo cuando cojes unas vacaciones, tienes que volver a casa y descansar antes de volver al trabajo. Pero no es maravilloso que podemos tomar esta "cura de reposo" cada día. ". . . Este es el reposo . . . este es el refrigerio." Necesitamos este refrigerio espiritual en estos días de tumulto, perplejidad y ansiedad.

Razón 9 — Las Lenguas para Dar Gracias

1 CORINTIOS 14:15-17
15 ¿Qué, pues? Oraré con el espíritu, pero oraré también con el entendimiento; cantaré con el espíritu, pero cantaré también con el entendimiento. 16 Porque si bendices sólo con el espíritu, el que ocupa lugar de simple oyente, ¿Cómo dirá el Amén a tu acción de gracias? pues no sabe lo que has dicho 17 Porque tú, a la verdad, bien das gracias; pero el otro no es edificado.

Cuando Pablo dijo, *"el que ocupa lugar de simple oyente"* en el versículo dieciseis, se refería a aquellos que no comprenden las cosas espirituales.

Si tu me invitaras a cenar y dijeras, "Por favor dá gracias," y yo orara en lenguas, tu no sabrías lo que habría dicho. No serías edificado. Por tanto, Pablo dijo que sería mejor orar con el entendimiento en esos casos. Si oras en lenguas, deberías interpretarlas para que así el simple oyente supiera lo que habías dicho.

Fíjate que Pablo está diciendo que el orar en lenguas provee el medio más perfecto de orar y dar gracias porque dijo, *"porque tú, a la verdad, bien das gracias . . ."* Pero en la presencia de aquellos que no comprenden, Pablo dijo que oráramos también con nuestro entendimiento para que ellos fueran edificados; para que puedan entender lo que dices.

Razón 10 — El hablar en Lenguas pone a la lengua bajo sujeción

SANTIAGO 3:8
8 Pero ningún hombre puede domar la lengua, que es un mal que no puede ser refrenado, llena de veneno mortal.

El someter la lengua del Espíritu Santo para hablar en otras lenguas es un paso gigante hacia el sometimiento completo de todos tus miembros a Dios, porque si puedes someter este miembro más difícil de refrenar, puedes someter *cualquier* miembro.

En conclusión, quisiera señalar que, mientras estas diez razones han tratado principalmente con las lenguas en la vida privada del individuo creyente, también es verdad que hay un lado público de las lenguas.

Primero, cuando la gente recibe el Espíritu Santo públicamente, hablan en otras lenguas *según el* Espíritu les da la emisión. Segundo, la Iglesia es edificada a través del hablar en lenguas en la Asamblea pública con interpretación.

Pablo claramente declara que la profecía es para hablar a los hombres *"para edificación, exhortación y consolación"* (1 Cor. 14:3). Pero dijo, *". . . mayor es el que profetiza que el* que habla en lenguas, a no ser que las interprete ..." (1 Cor. 14:5). Está diciendo que las lenguas con interpretación son equivalentes a la profecía. Si interpreta, el que profetiza no es mayor.

Para ilustrarlo, se necesitan dos monedas de 25 para hacer una de 50. Sin embargo, dos monedas de 25 no son lo mismo que una moneda de 50. Naturalmente, sería mejor tener una de 50 que una de 25 (el hablar en lenguas). Pero, si la interpretación va junto a las lenguas, entonces las dos unidas son equivalentes a la profecía.

El profetizar es "hablar a los hombres para edificación, exhortación y consolación." El profetizar no es predicar. (Sin embargo, a veces hay un elemento de profecía en la predicación.)

Si el profetizar fuera predicar, no tendrías que prepararte para predicar. Pero sí que tienes que estudiar. Pablo dijo, "Procura con diligencia (estudia) presentarte a Dios aprobado ..." (2 Timoteo 2:15).

No tienes que estudiar para hablar en lenguas o para interpretar. Viene por inspiración del Espíritu. Desdeluego, cuando uno está predicando bajo la inspiración del Espíritu y de repente dice cosas sobre las que no había pensado, eso es inspiración y es un elemento de profecía.

El hablar en lenguas más la interpretación edifica a la Iglesia. Cuando usado con la Palabra de Dios, el hablar en lenguas con interpretación convence al creyente de la realidad de la presencia de Dios, y a menudo hace que se vuelva a Dios y sea salvo.

Jesús dijo, "Y estas señales seguirán a los que creen; En mi nombre echarán fuera demonios" (Marcos 16:17). Esto puede hacerse en privado o en público.

"Sobre los enfermos pondrán sus manos, y sanarán" (v. 18). Esto puede ser en privado o en público.

Otra señal es, "Hablarán nuevas lenguas" (v. 17).

Desdeluego, no queremos el orar en lenguas prolongado durante un culto, porque a no ser que haya interpretación, la gente so sabrá lo que es dicho y no será edificada.

Está bien orar en lenguas tanto como uno quiera durante el tiempo del llamamiento al altar, ya que acudes para ser edificado. Si todos están levantando las manos y orando en cualquier momento durante el culto, está bien orar en lenguas. (Yo estoy de pié en la plataforma y oro de esa manera en cada servicio.)

Pero cuando la congregación cesa de orar en lenguas, yo también paro de orar en lenguas. La congregación no sería edificada si yo continuara y continuara. Necesitamos saber cómo usar lo que tenemos a nuestra mayor ventaja.

Texto Para Memorizar:
"Y estas señales seguirán a los que creen ... hablarán nuevas lenguas" (Marcos 16:17).

LA LECCION EN ACCION: *"Pero sed hacedores de la Palabra, y no tan solamente oidores..."* (Santiago 1:22).

El Espíritu Santo en el Interior

Textos Bíblicos: Juan 14:16,17; 1 Corintios 3:16; 6:19;
2 Corintios 6:16; 1 Juan 4:4

Verdad Central: El propósito de Cristo al enviar al Espíritu Santo era para que El, una Personalidad divina, viviera en nosotros.

En esta lección trataremos más profundamente con el tema de la presencia moradora del Espíritu Santo en el creyente lleno del Espíritu.

No hay necesidad de que ningún creyente se sienta en ningún momento sin consuelo, acongojado, o abandonado. El propósito de Cristo al enviar el Espíritu Santo fué que El, una Personalidad divina, viniera a vivir en nosotros y a estar en nosotros.

El Espíritu Santo, Nuestro Ayudador

JUAN 14:16,17

16 Y yo rogaré al Padre, y os dará otro Consolador, para que esté con vosotros para siempre:
17 el Espíritu de verdad, al cual el mundo no puede recibir, porque no le ve, ni le conoce; pero vosotros le conocéis, porque mora con vosotros, y estará en vosotros.

La Biblia Ampliada (en inglés) lee, "Y yo rogaré al Padre, y El os dará otro Consolador (Consejero, Ayudador, Intercesor, Abogado, Fortalecedor y Adherente Fiel) para

que permanezca con vosotros para siempre, El Espíritu de Verdad, al cual el mundo no puede recibir (bienvenir, tomar a pecho), porque no le ve, conoce o reconoce. Pero vosotros le conocéis y reconocéis, porque vive con vosotros (constantemente) y estará en vosotros. No os dejaré huérfanos — sin consuelo, desolados, acongojados, abandonados, destituídos — vendré (de nuevo) a vosotros" (Juan 14:16-18).

Nota que Jesús dijo que el Espíritu Santo sería un Consolador, Consejero, Ayudador, Intercesor, Abogado, Fortalecedor y Adherente Fiel. No necesitamos nada más que esto. Pero a menudo nos hemos preocupado con recibir el bautismo del Espíritu Santo a través de una experiencia natural, exterior, o un sentimiento de éxtasis, que hemos perdido la realidad de lo que el Espíritu Santo vino a hacer en nosotros.

A menudo cuando necesitamos ayuda corremos de aquí para allá, tratando de encontrar a alguien para que ore por nosotros. Nos olvidamos que tenemos un Ayudador adentro. No tenemos que pedir por un ayudador, ¡Ya tenemos al Ayudador en nosotros!

43

1 CORINTIOS 3:16

16 ¿No sabéis que sois el templo de Dios, y que el Espíritu de Dios mora en nosotros?

La traducción Ampliada de este versículo lee, "¿No discernís y comprendéis que vosotros (La iglesia completa de Corinto) sois el templo de Dios (Su santuario) y que el Espíritu de Dios tiene Su residencia permanente en vosotros — para estar en Su hogar en vosotros (colectivamente como iglesia y también individualmente)?"

1 CORINTIOS 6:19

19 (O ignoráis que vuestro cuerpo es templo del Espíritu Santo, el cual está en vosotros, el cual tenéis de Dios, y que no sois vuestros?

La versión Ampliada de esta Escritura lee, "¿No sabéis que vuestro cuerpo es el templo — el mismo santuario del Espíritu Santo Quien vive dentro de vosotros, el cual habéis recibido (como un Don) de Dios? Vosotros no sois vuestros."

2 CORINTIOS 6:16

16 ¿Y qué acuerdo hay entre el templo de Dios y los ídolos? Porque vosotros sois el templo del Dios viviente, como Dios dijo: Habitaré y andaré entre ellos, y seré su Dios, y ellos serán mi pueblo.

De nuevo, la traducción *Ampliada* de este versículo lee, "¿Qué acuerdo (puede haber entre) un templo de Dios y los ídolos? Porque nosotros somos el Templo del Dios viviente; como Dios dijo,

Habitaré en y con y entre ellos y andaré en y con y entre ellos, y seré su Dios, y ellos serán mi pueblo."

1 JUAN 4:4

4 Hijitos, vosotros sois de Dios, y los habéis vencido; porque mayor es el que está en vosotros, que el que está en el mundo.

(Quién es "el" que está en el mundo? (Satanás, el dios de este mundo.) ¡Pero hay uno Mayor en ti! Dios mismo en la Persona del Espíritu Santo está en el creyente nacido de nuevo, lleno del Espíritu.

Todo lo que Dios podría posiblemente ser y hacer para ti, el Espíritu Santo es a ti y para ti. Este Mayor del que se habla es el Espíritu Santo, Quien está en ti. El es Mayor que el que está en el mundo.

En lugar de creer lo que la Biblia *dice,* demasiada gente sólo creen lo que *sienten.* Cuando recibieron el Espíritu Santo, se sintieron maravillosamente. Más tarde dijeron, "Tuve una experiencia maravillosa, pero El se ha debido marchar, porque no siento ahora lo que sentí entonces." Sin embargo, Jesús dijo, ". . . *para que esté con vosotros para siempre."*

El Espíritu Santo no vino como un visitante para pasar sólo unos pocos días. No vino de vacaciones. ¡Vino a morar en ti — a estar en casa en ti! *El hogar del Espíritu Santo en esta vida es en tu cuerpo.*

La gente habla acerca de la manifestación exterior y pierden la realidad de Su presencia moradora. ¡Deberíamos estar conscientes de Su presencia durante cada momento en

44

el que estemos despiertos!

El Espíritu Santo, Nuestro Guía

El Espíritu Santo es también nuestro Guía. *"Pero cuando venga el Espíritu de verdad, el os guiará a toda la verdad..."* (Juan 16:13). No sólo nos guiará El a toda la verdad, pero como dijo Jesús, *"Tu palabra es verdad."* El nos guiará a la verdad de la palabra de Dios.

También nos guiará en la vida. *"Porque todos los que son guiados por el Espíritu de Dios, éstos son hijos de Dios"* (Rom. 8:14).

Nadie puede ser guiado o dirigido sin ponerse a sí mismo en las manos del guía. Es innecesario orar, "Señor, guíame, dame dirección," a no ser que estés dispuesto a permitirte a ti mismo ser guiado.

Cuando visitamos cualquier lugar que ofrece un guía, si no seguimos al guía, habrá mucho que no entenderemos, porque el guía lo puede explicar. De cierto, nadie querría ir a las Cavernas de Carlsbad sin un guía. Dentro de esas cavernas es negro como la noche. Per el guía sabe exactamente donde encender las luces. (¡Gracias a Dios, el Espíritu Santo sabe exactamente donde encender las luces, también!) Nunca saldríamos de las cavernas si no siguiéramos al guía.

Esta es la razón por la que mucha gente se han metido en tal confusión en sus vidas — no están siguiendo al Guía. El Espíritu Santo nos guiará, pero debemos ponernos a nosotros mismos en Sus manos.

Durante los muchos años en los que viajé en el campo evangelístico, dejando a mi esposa e hijos pequeños en casa, yo dependí en mi Guía, el Espíritu Santo. El siempre me avisó con antelación de cualquier necesidad en mi familia. Y aunque no mantenía ninguna comunicación con mi hermana y hermanos aparte de en el Espíritu, siempre sabía cuando alguien de la familia estaba enfermo.

Una vez, mientras estaba ministrando en el estado de Oregon, recibí una gran carga de oración. El Espíritu Santo me mostró que mi hermano mayor estaba en dificultad, pero que se pondría bien.

Le dije a mi esposa, "Los doctores pensarán que su condición es muy seria, y desde el punto de vista natural lo es, pero todo acabará bien."

En cuestión de unas pocas horas recibimos una llamada de larga distancia de mi hermana. Estaba casi histérica mientras decía, "Nuestro hermano ha tenido un accidente y se ha roto la espalda. Está en muy seria condición. ¿Qué vamos a hacer?"

Gracias a Dios, pude decirle, "Yo ya tengo información *interior* acerca del asunto. El no esta tan grave como piensan. El se pondrá bien. No te atemorices."

Más tarde los doctores le dijeron, "No lo podemos comprender. Los Rayos X muestran que su espalda está rota. Por qué no estás paralizado no lo sabemos." Yo sí que lo sabía, sin embargo. Mi hermano estaba en Kansas, pero había un Intercesor en mí en Oregon — el

Espíritu Santo.

Si el espacio me lo permitiera, podría contar experiencia tras experiencia. Pero déjame decir que el Espíritu Santo no está en mí para ayudarme sólo porque soy un predicador. El está en ti para ayudarte a ti también. Si aprendes a escucharle a El y a mirarle a El, El te guiará. Cuando recibes guía, puedes estar preparado antes de tiempo. El te guiará a toda la verdad, y El también te guiará y te dirigirá en la vida.

El Espíritu Santo, Nuestro Maestro

Jesús dijo, "*. . . porque no hablará por su propia cuenta, sino que hablará todo lo que oyere . . .*" ¿Qué es lo que hablará? Lo que oye decir a Dios. No sólo hablará todo lo que oyere, pero "*. . . y os hará saber las cosas que habrán de venir*" (Juan 16:13).

Juan 15:26 dice, "*Pero cuando venga el Consolador, a quien yo os enviaré del Padre, el Espíritu de verdad, el cual procede del Padre, él dará testimonio acerca de mí.*" Fíjate otra vez en Juan 16:14, "*El me glorificará; porque tomará de lo mío, y os lo hará saber.*" En otras palabras, el Espíritu Santo hará a Jesús real en ti.

"*Mas el Consolador, el Espíritu Santo, a quien el Padre enviará en mi nombre, él os enseñará todas las cosas, y os recordará todo lo que yo os he dicho*" (Juan 14:26).

Algunos dicen, "Yo tengo poca memoria y no puedo acordarme de las cosas. No puedo recordar las Escrituras." Yo les digo, ¿Por qué no paras de tratar de recordar y lo miras a El y esperas en El para que te las traiga a recordar." Una cosa es hacer algo mentalmente por ti mismo y otra cosa es confiar en el Espíritu Santo que está en ti. El es todo lo que la Palabra dice que es en ti. El hará todo lo que la Palabra dice que hará en ti. El será todo lo que la Palabra dice que será en ti.

Smith Wigglesworth dijo en su libro *Ever Increasing Faith* (Fe Siempre Creciente), "Soy mil veces mayor en el interior que en el exterior." Para ilustrarlo contó una experiencia en Inglaterra en la que se le pidió que orara por la hija insana de un matrimonio anciano.

Los padres le llevaron a un cuarto de arriba, empujaron la puerta para abrirla y se volvieron para atrás, haciéndole señales para que entrara. Dentro, vió a una mujer joven delicada tumbada en el suelo. Era tan violenta que cinco hombres la estaban sujetando.

Cuando Wigglesworth entró en la habitación, ella gritó, con sus ojos en llama, "Somos muchos. Tu no puedes echarnos fuera."

Calmadamente él dijo, "Jesús puede." El recordó que la Biblia dijo, "mayor es el que está en vosotros" y que él era mil veces mayor en el interior que en el exterior. El se atrevió a creer que Dios estaba dentro de él. Le dijo a la mujer. "Jesús puede. Y fuera salís vosotros en el Nombre del Señor Jesucristo." Treinta y siete demonios salieron dando sus nombres, y la mente de aquella mujer fué completamente restaurada. Ella se vistió y bajó abajo más tarde para comer la cena con su familia.

Alguien le preguntó a Wigglesworth, "¿Cuál es su secreto? ¿Qué lugar grande de espiritualidad ha logrado?"

Su respuesta fué, "Todo lo que hice fué recordar que mayor es El que está en mí que el que está en el mundo. Atrévete a actuar de acuerdo con esa Escritura."

Juan estaba escribiendo a laicos cuando dijo, *"Hijitos, vosotros sois de Dios, y los habéis vencido; porque mayor es el que está en vosotros que el que está en el mundo."*

No estás dejado sin ayuda. El Que es Mayor está en ti. ¡Tienes autoridad sobre el diablo!

Texto Para Memorizar:
"... Mayor es el que está en vosotros, que el que está en el mundo" (1 Juan 4:4).

LA LECCION EN ACCION: *"Pero sed hacedores de la Palabra, y no tan solamente oidores..."* (Santiago 1:22).

Lección 12

Siete Pasos Para Recibir
el Espíritu Santo (Parte 1)

Textos Bíblicos: Hechos 2:4; 10:46; 19:6; 1 Corintios 14:2,4,5,14,15,18,27
Verdad Central: Dios dio el don del Espíritu Santo en el Día de Pentecostés. Todo lo que el creyente debe hacer ahora, es
recibir el don de Dios.

Estas dos lecciones siguientes tienen un doble propósito: el ayudar a aquellos que aún no han recibido la plenitud del Espíritu Santo, y el ayudar a los creyentes llenos del Espíritu a orar con aquellos buscando para recibir esta experiencia.

En estas lecciones compartiré siete pasos que cualquier persona puede tomar para ayudar a cualquiera a ser lleno del Espíritu Santo sin esperar y sin demora. Yo he usado estos siete pasos con éxito durante muchos años en mis reuniones a través del país (Estados Unidos).

Paso 1: El Don ya ha Sido Dado

Ayúdale al candidato a ver que Dios ya ha dado el Espíritu Santo a los creyentes, y ahora le toca al individuo recibir el don. ¡Por encima de todo, ayúdale a ver que no debe rogar a Dios para que le llene con el Espíritu Santo! Dios prometió enviar Su Espíritu Santo a los creyentes y esta promesa fué cumplida el día de Pentecostés. El Espíritu Santo vino entonces. El ha estado aquí desde entonces, y la gente ha *recibido* la plenitud del

Espíritu Santo desde entonces.

Por ejemplo, diecinueve o veinte años después del Día de Pentecostés, leemos en Hechos 19, "... *Pablo, después de recorrer las regiones superiores, vino a Efeso, y hallando a ciertos discípulos, les dijo: ¿RECIBISTEIS el Espíritu Santo cuando creísteis?* (vs. 1,2). Nota que Pablo no dijo, "Os ha *dado* Dios el Espíritu Santo?" El dijo, "*RECI-BISTEIS el Espíritu Santo ...?*"

"*Y ellos le dijeron: Ni siquiera hemos oído si hay Espíritu Santo... y habiéndoles impuesto Pablo las manos, vino sobre ellos el Espíritu Santo ...*" (vs. 2,6). Vemos que Pablo no les enseñó a estos creyentes a orar para que Dios les *diera* el Espíritu Santo. Y nota que CUANDO las manos fueron impuestas estos creyentes RECIBIERON el Espíritu Santo: "*Y habiéndoles impuesto Pablo las manos, vino sobre ellos el Espíritu Santo, y HABLABAN EN LENGUAS, Y PROFETIZABAN*" (v. 6).

Otro ejemplo de creyentes recibiendo el Espíritu Santo sin esperar y sin demorarse, ocurre en el octavo capítulo de los Hechos — ocho años después del Día de Pentecostés:

48

"Cuando los apóstoles que estaban en Jerusalén oyeron que Samaria había recibido la palabra de Dios, enviaron allá a Pedro y a Juan; los cuales, habiendo venido, oraron por ellos para que RECIBIESEN el Espíritu Santo" (Hechos 8:14,15). Pedro y Juan no oraron para que Dios les *diera* a los Samaritanos el Espíritu Santo; oraron para que los Samaritanos *recibieran* el Espíritu Santo.

Vemos en el versículo diecisiete, *"Entonces les imponían las manos, y RECIBIAN el Espíritu Santo."* Dios no ha *dado* el Espíritu Santo a nadie desde el Día de Pentecostés. Ese fué el día en que El fue *dado* a la Iglesia. Desde entonces los creyentes le han *recibido*. El Espíritu Santo ya está aquí para que los creyentes lo reciban.

Paso 2: La Salvación Es el Unico Prerequisito

Ayuda a la persona a ver que cualquiera que sea salvo está listo para recibir el Espíritu Santo. *"Al oir esto,* (la multitud que se había reunido después de que los 120 habían recibido el Espíritu Santo y a los que Pedro predicó, citando la profecía del Joel) *se compungieron de corazón, y dijeron a Pedro y a los otros apóstoles: Varones hermanos, ¿qué haremos? Pedro les dijo: Arrepentíos, y bautícese cada uno de vosotros en el nombre de Jesucristo, para perdón de los pecados; y recibiréis el don del Espíritu Santo"* (Hechos 2:37,38). Cualquiera que es salvo está listo para recibir el don del Espíritu Santo *ahora* mismo.

Algunos piensan que hay ciertas cosas que tienen que hacer para calificar para recibir el bautismo del Espíritu Santo. Sin embargo, si una persona es salva, no podría de ninguna manera ser más limpia de lo que es en aquel instante. La sangre de Jesucristo nos limpia de todo pecado. Creemos que aquellos que son salvos van al Cielo cuando mueren. Si son lo suficiente buenos para ir al Cielo, ¡son lo suficiente buenos para tener un poquito del Cielo en ellos!

Algunos piensan que han de seguir cierto código de vestidura para poder recibir el Espíritu Santo. Otros tienen la idea errónea de que tienen que solicitar el favor de Dios para conseguir que haga algo para ellos. Pero la Biblia dice que todo lo que hemos de hacer es ser salvos y andar en la luz de la salvación. (Una persona que esté fuera de comunión, desdeluego, tendría que volver a la comunión con Dios.)

Algunos se han imaginado que han de ser perfectos antes de poder recibir el Espíritu Santo. Sin embargo, incluso el gran apóstol Pablo mismo dijo, *"No que lo haya alcanzado ya, ni que ya sea perfecto; sino que prosigo, por ver si logro asir aquello para lo cual fuí también asido por Cristo Jesús. Hermanos, yo mismo no pretendo haberlo ya alcanzado; pero una cosa hago: olvidando ciertamente lo que queda atrás, y extendiéndome a lo que está delante, prosigo a la meta, al premio del supremo llamamiento de Dios en Cristo Jesús"* (Filipenses 3:12-14).

Si pudieras hacer todo lo que debieras hacer y ser todo lo que debieras ser sin el Espíritu Santo, ¿para qué lo necesitarías a El? Si lo puedes hacer por ti solo, (para qué lo necesitarías a El? Cristianos carnales *pueden* ser llenos del Espíritu Santo. La Biblia dice que los cristianos corintios eran carnales, pero Pablo dijo de ellos, "... *nada os falta en ningún don*..." (1 Cor. 1:7). El no estaba aprobando carnalidad. ¡Estaba tratando de hacer que crecieran en Dios y dejaran la carnalidad! Los bebés cristianos pueden ser llenos del Espíritu Santo. En verdad los cristianos carnales y los bebés cristianos recibirán poder que los ayudará, si andan en la luz de ellos, a salir de la carnalidad. Así que, si una persona es salva, está lista para recibir el Espíritu Santo.

Paso 3: La Imposición de Manos

Yo siempre les digo a la gente que cuando imponga las manos sobre ellos, recibirán el Espíritu Santo. Cualquiera puede imponer las manos sobre otro en fe, ya que Dios honra la fe. Sin embargo, hay un ministerio de la imposición de manos, y algunos son usados más en esa área que otros. Pero cualquiera puede imponer las manos en una persona como contacto de fe y decirles, "Este es el minuto — ahora mismo — recibirás el Espíritu Santo." *El Espíritu Santo es recibido entonces por la fe.*

Paso 4: Está Listo a Hablar en Lenguas

Dile al candidato lo que debe esperar recibir. Si no lo hacemos, él puede que no sepa lo que está sucediendo cuando el Espíritu Santo se mueva en él. Dile que debe *estar listo* para que el Espíritu Santo se mueva en sus cuerdas vocales y ponga palabras sobrenaturales en sus labios las cuáles ha de hablar en voz alta en cooperación con el Espíritu Santo. Recuerda, la persona misma es la que debe hablar — debe levantar su voz como un acto de su voluntad. El Espíritu Santo da las palabras, pero la persona es la que habla.

HECHOS 2:4
4 Y (ellos) COMENZARON A HABLAR en otras lenguas, según el Espíritu les daba que hablasen.

HECHOS 10:46
46 Porque los oían QUE HABLABAN (ellos) en lenguas, y que magnificaban a Dios.

HECHOS 19:6
6 Y habiéndoles impuesto Pablo las manos, vino sobre ellos el Espíritu Santo; y HABLABAN (ellos) en lenguas, y profetizaban.

1 CORINTIOS 14:2,4,5,14,15,18,27
2 PORQUE EL QUE HABLA en lenguas no habla a los hombres, sino a Dios: pues nadie le entiende, aunque por el Espíritu habla misterios
4 EL QUE HABLA en lengua extraña, a sí mismo se edifica ...
5 Así que, quisiera que TODOS VOSOTROS HABLASEIS en lenguas ...
14 Porque si YO ORO en lengua desconocida, mi espíritu ora, pero mi

entendimiento queda sin fruto.

15 ¿Qué, pues? ORARE con el espíritu, pero oraré también con el entendimiento.

18 Doy gracias a Dios QUE HABLO en lenguas más que todos vosotros.

27 Si habla ALGUNO en lengua extraña, sea esto por dos, o a lo más tres, y por turno; y uno interprete.

Fíjate que cada una de estas Escrituras muestra que al recibir el Espíritu Santo (tanto como después de haber recibido el Espíritu Santo), o al orar en lenguas, o al ministrar lenguas en la asamblea pública, es siempre el hombre el que habla las palabras.

Cuando les digo esto a gente que ha estado buscando el Espíritu Santo durante treinta o cuarenta años, a menudo me miran con asombro y dicen, "Si lo hubiera sabido, habría podido hablar en lenguas durante los últimos treinta años.

Sentía el impulso. Tenía la inspiración. A veces era difícil impedir que me salieran las lenguas, pero estaba esperando que el Espíritu Santo viniera y tomara posesión de mi lengua."

¡Algunos piensan que es como si uno se tragara un radio pequeño, y cuando Dios está listo, lo enciende y empieza a hablar automáticamente! Sin embargo, el Espíritu Santo te da las palabras *a ti*, y *tu* eres quien hablas.

Cuando el Espíritu de Dios se mueve en tu lengua y tus labios, *debes* levantar la voz y poner sonido. Entonces estás cooperando con el Espíritu Santo y te encontrarás hablando en lenguas!

Texto Para Memorizar:
"¡Así que, quisiera que todos vosotros hablaseis en lenguas ..." (1 Cor. 14:5).

LA LECCION EN ACCION: *"Pero sed hacedores de la Palabra, y no tan solamente oidores ..."* (Santiago 1:22).

Siete Pasos Para Recibir el Espíritu Santo (Parte 2)

Texto Bíblico: Lucas 11:11-13

Verdad Central: Si actúas en la Palabra de Dios, El honrará Su Palabra, y tu recibirás el Espíritu Santo.

Aprendimos en la última lección que para poder ayudar a los creyentes a recibir la plenitud del Espíritu Santo ellos deben comprender que:

1. Dios ya ha dado el Espíritu Santo a los creyentes, y que depende del individuo el que reciba este don.

2. La salvación es el único prerequisito para la plenitud del Espíritu Santo.

3. La imposición de manos puede ser un importante contacto de fe.

4. El creyente debería esperar hablar en lenguas.

Veamos ahora tres pasos importantes más para recibir la bendita plenitud del Espíritu Santo.

Paso 5: El Hijo de Dios no Necesita Temer el Recibir Algo Falso

Algunos temen que puedan recibir algo falso o una imitación cuando buscan ser llenos del Espíritu Santo. He oído a gente decir, "Hay un espíritu malo y también un espíritu bueno. Yo quiero el espíritu bueno." A esta gente les señalo esta Escritura:

LUCAS 11:11-13
11 ¿Qué padre de vosotros, si su hijo le pide pan, le dará una piedra? ¿o si pescado, en lugar de pescado, le dará una serpiente?
12 ¿O si le pide un huevo, le dará un escorpión?
13 Pues si vosotros, siendo malos, sabéis dar buenas dádivas a vuestros hijos, ¿cuánto más vuestro Padre celestial dará el Espíritu Santo a los que se lo pidan?

Jesús estaba diciendo aquí, "¿Si tu hijo te pidiera pan, le darías una piedra? ¿Si tu hijo te pidiera pescado, le darías una serpiente? ¿Si tu hijo te pidiera un huevo, le darías un escorpión?" No, no lo harías.

"Pues si vosotros, siendo malos, sabéis dar buenas dádivas a vuestros hijos, ¿cuánto más vuestro Padre celestial dará el Espíritu Santo a los que se lo pidan?" ¡Podemos estar seguros de que Dios no dará a Sus hijos una imitación cuando le piden por el Espíritu Santo!

Es algo enteramente diferente, desde luego, cuando una persona no salva busca el Espíritu Santo. Pero si la persona es un hijo de Dios, no recibirá un espíritu inmundo.

Fíjate en que las expresiones, "serpiente" y "escorpión" fueron también usadas en Lucas 10:19. *"He aquí os doy potestad de hollar serpientes y escorpiones, y sobre toda fuerza del enemigo...*" Jesús usó los términos "serpientes" y "escorpiones" para referirse a los espíritus inmundos. El dijo que no vas a recibir una "serpiente" or un "escorpión." Si eres un hijo de Dios y vienes a tu Padre celestial buscando al Espíritu Santo, eso es lo que vas a recibir.

Cuando les he dado estas Escrituras a aquellos que han sido mal dirigidos por maestros falsos, les he visto inmediatamente empezar a hablar en lenguas. Más tarde me han dicho, "Si hubiera sabido esto, habría podido hablar en lenguas y conocido la plenitud del Espíritu por muchos años. Pero tenía miedo de recibir un espíritu malo." Podemos ser librados de nuestros temores a través de la Palabra de Dios.

Paso 6: Recibe al Espíritu Santo y Habla La Lengua que El Da

Dile al candidato que abra la boca y que respire tan profundamente como le sea posible. Al mismo tiempo debería decirle a Dios en su corazón, "Estoy recibiendo al Espíritu Santo ahora mismo por la fe."

Me gusta insistir absolutamente en que los candidatos no hablen ni una palabra de su lenguaje natural. Entonces, cuando el Espíritu Santo empieza a moverse sobre ellos, les digo que levanten la voz y hablen cualquier sonido que parezca fácil de hacer, no importa cómo les suene. Les digo que empiecen a hablar las palabras y el lenguaje que el Espíritu les dé, alabando a Dios con esas palabras sobrenaturales hasta que un lenguaje claro y libre venga. Cuando la persona pueda oírse a sí misma hablar en lenguas, tendrá la seguridad y la confianza de que ha recibido el Espíritu Santo.

En Juan 7:37-39, Jesús dijo que viniéramos y bebiéramos. *"En el último y gran día de la fiesta, Jesús se puso en pie y alzó la voz diciendo: Si alguno tiene sed, venga a mí, y BEBA. El que cree en mí, como dice la Escritura, de su interior correrán ríos de agua viva. Esto dijo del Espíritu que habían de recibir los que creyesen en él; pues aún no había venido el Espíritu Santo, porque Jesús no había sido aún glorificado."*

El recibir el Espíritu Santo, Jesús dijo, es como el beber agua; el mismo principio está envuelto. ¡Nadie puede beber con la boca cerrada!

También, nadie puede *beber* y *hablar* al mismo tiempo.

He visto a quienes vienen y reciben con la boca abierta. No he visto a nadie que abriera la boca ampliamente y no recibiera al instante. Una vez vi cinco hombres de negocios acercándose al altar con sus bocas abiertas ampliamente y fueron llenos del Espíritu Santo. Jesús dijo, "Ven y bebe." Si actúas de acuerdo con la Palabra de Dios, El honrará Su Palabra, y tu recibirás.

Paso 7: No Debería Haber un Grupo de Gente Alrededor del Candidato Para no Confundirle

Me gusta tener unos pocos obreros a los cuáles he instruído especialmente para ayudar a los que buscan, ya que a menudo la gente es lenta a rendirse al Espíritu, y alguien más puede guiarles y ayudarles a rendirse. (A veces al ir a nadar es difícil hacer que algunos se metan en el agua, pero si tu vas y nadas un poco, diciéndoles lo bueno que es, se meterán.) A veces el estar allí hablando en lenguas animará a los que buscan, a seguirle en el bautismo del Espíritu Santo.

No debería haber un grupo de gente alrededor de los candidatos que están buscando el Espíritu Santo, todos tratando de dar instrucciones a la misma vez. Esto sólo traerá confusión. Deja que sólo una persona les enseñe cómo rendirse al Espíritu.

Si estás entre aquellos que oran por los que buscan, haz una de dos cosas: Si oras en voz alta, ora en lenguas. Si no, ora en voz baja. Si oras en español, los candidatos oirán los que estás diciendo, y esto les hará prestarte atención a ti. Muchas veces a la gente se les impedirá rendirse a Dios porque están escuchando lo que están diciendo los que están alrededor.

He estado en círculos del Evangelio Completo por medio siglo, he visto casi todo lo que se podría mencionar — y otras cosas que no quisiera mencionar.

He visto a amadas personas en el altar buscando ser llenas del Espíritu Santo, mientras alguien a. un lado les grita en un oído, "¡Agárralo, hermano, agárralo!" Otra persona estaría gritando en el otro oído, "¡Suéltalo, hermano, suéltalo!" Alguien arrodillado detrás de ellos, dándoles golpes en la espalda, gritando, "¡Déjalo salir, hermano, déjalo salir!" Luego alguien más sentado enfrente de ellos grita, "¡Muere a ti mismo, hermano, muere a ti mismo!" con toda su voz.

No por esto, pero aun *a pesar de* esto, han recibido multitudes. Pero, al mismo tiempo, mucha gente honesta y sincera se han apartado. Veremos a más ser llenos del Espíritu Santo si seguimos las prácticas bíblicas.

Siguiendo los siete pasos que hemos delineado en estas dos lecciones, serás capaz de ayudar a la gente a recibir el Espíritu Santo. Y tu te sentirás personalmente bendecido y recompensado por tu parte en que ellos recibieran esta maravillosa plenitud del poder de Dios.

Texto Para Memorizar:
"Pedid a Jehová lluvia en la estación tardía . . ." (Zacarías 10:1).

LA LECCION EN ACCION: *"Pero sed hacedores de la Palabra, y no tan solamente oidores . . ."* (Santiago 1:22).

Lección 14

Los Dones del Espíritu

Texto Bíblico: 1 Corintios 12:1-14

Verdad Central: Los dones del Espíritu son dados para el provecho de la iglesia entera.

Pablo, inspirado por el Espíritu a escribir a la iglesia en Corinto, dijo, *"No quiero, hermanos, que ignoréis acerca de los dones espirituales"* (1 Cor. 12:1).

Si el Espíritu de Dios, a través de Pablo, dijo que no quería que la iglesia en Corinto fueran ignorantes acerca de los dones espirituales, no creo que El quiera que la Iglesia de hoy día sea ignorante acerca de los dones espirituales. Sin embargo, gran importancia existe acerca de estas cosas.

En algunos lugares la gente no sabe nada acerca de ellos — ni siquiera que tales dones existen. Creen que estos dones ya han pasado. En otros lugares saben algo acerca de ellos, pero su conocimiento es muy limitado.

1 CORINTIOS 12:1-14

1 No quiero, hermanos, que ignoréis acerca de los dones espirituales.

2 Sabéis que cuando erais gentiles, se os extraviaba llevándoos, como se os llevaba, a los ídolos mudos.

3 Por tanto, os hago saber que nadie que hable por el Espíritu de Dios llama anatema a Jesús; y nadie puede llamar a Jesús Señor, sino por el Espíritu Santo.

4 Ahora bien, hay diversidad de dones, pero el Espíritu es el mismo.

5 Y hay diversidad de ministerios, pero el Señor es el mismo.

6 Y hay diversidad de operaciones, pero Dios que hace todas las cosas en todos, es el mismo.

7 Pero a cada uno le es dada la manifestación del Espíritu para provecho.

8 Porque a éste es dada por el Espíritu palabra de sabiduría; a otro, palabra de ciencia según el mismo Espíritu;

9 a otro, fe por el mismo Espíritu; y a otro, dones de sanidades por el mismo Espíritu.

10 A otro, el hacer milagros; a otro profecía; a otro, discernimiento de espíritus; a otro, diversos géneros de lenguas; y a otro, interpretación de lenguas.

11 Pero todas estas cosas las hace uno y el mismo Espíritu, repartiendo a cada uno en particular, como él quiere.

12 Porque así como el cuerpo es uno, y tiene muchos miembros, pero todos los miembros del cuerpo, siendo muchos, son un solo cuerpo, así también Cristo.

13 Porque por un solo Espíritu fuimos todos bautizados en un cuerpo, sean judíos o griegos, sean esclavos o libres; y a todos se nos dio a beber de un mismo Espíritu.

14 Además, el cuerpo no es un solo miembro, sino muchos.

La Epístola de *Primera de Corintios* no es una carta escrita a un

55

individuo; es una carta escrita a la Iglesia entera. Algunos han pensado que estos versículos se refieren a un individuo, pero Pablo les estaba diciendo a toda la Iglesia que desearan estos dones. Luego, a medida que todo el Cuerpo los procura, el Espíritu repartirá a cada uno en particular como El quiera.

Pablo infiere aquí que no todo individuo va a tener todos estos dones, porque dijo, *"Porque a éste (no a cada uno), es dada por el Espíritu palabra de sabiduría; a otro, palabra de ciencia . . ."*

Algunos han tomado esto fuera de contexto y han pensado que la Biblia le estaba diciendo al individuo que deseara todos estos dones. En realidad, Pablo le estaba diciendo a la Iglesia como grupo que los deseara. Entonces, si lo hacen, el Espíritu repartirá a cada uno en particular como El quiera — no como yo quiera, no como tu quieras, pero como el Espíritu quiera.

Los Dones del Espíritu Proclaman a Jesús Como Señor

La iglesia de Corinto tenía varias peculiaridades que no existen entre nosotros hoy en día.

Pablo dijo, *"Sabeis que cuando erais gentiles, se os extraviaba llevándoos, como se os llevaba, a los ídolos mudos."* Esta gente anteriormente había adorado a ídolos. En esta adoración de ídolos, motivados por el espíritu erróneo, decían muchas cosas en error.

La historia de la Iglesia nos dice que algunos de ellos iban a una asamblea cristiana, y cuando el Espíritu de Dios empezaba a manifestarse a sí mismo, decían cosas bajo la influencia del espíritu falso. Algunos de ellos incluso se levantaban cuando los dones de inspiración y emisión estaban en operación y decían que Jesús era anatema.

Pablo dijo que cuando el Espíritu Santo está en acción, El proclamará a Jesús Señor (v. 3). Si es uno de los dones de emisión, entonces desdeluego el Espíritu Santo dirá que Jesús es Señor. O, si es cualquiera de los dones, siempre levantarán el señorío de Jesús, no el señorío de algún hombre. *No atraerán atención al hombre, sino a Cristo.*

"Por tanto, os hago saber que nadie que hable por el Espíritu de Dios llama anatema a Jesús." Puedes estar seguro de que si alguien está ejercitando uno de los dones vocales y llama a Jesús anatema, o habla en contra de El en cualquier manera, ¡no es el Espíritu Santo hablando!

Luego Pablo dijo que nadie puede decir que Jesús es el Señor excepto por el Espíritu Santo. Está diciendo que si alguien está hablando por el espíritu correcto, dirá que Jesús es el Señor.

Faltándoles entendimiento, muchos han tratado de operar un don sin el Espíritu. Quizás el don ha sido manifestado en su vida en ciertas ocasiones y piensan, *Ahora lo tengo, y puedo ponerlo a funcionar cuando yo quiera.* Sin embargo, cuando lo hacen, invariablemente se meten en un lío. Se echan a sí mismos abiertamente a la decepción satánica. Cuando nos separamos de la Palabra, Satanás nos suministrará.

Diversidades de Dones

Pablo continuó diciendo, *"Ahora bien, hay diversidades de dones..."* La palabra "diversidad" significa simplemente "diferencia." En otras palabras, Pablo está diciendo, "Hay diferentes dones pero el mismo Espíritu. Y hay diferencias de ministerios, pero el mismo Señor. Y diferencias de operaciones, pero es el mismo Dios el que hace todas las cosas en todos."

Hay dos teorías sobre esta Escritura particular, y yo puedo ver mérito en ambas.

Una línea de pensamiento dice que estos dones son administrados a diferentes personas en diferentes maneras. Dicen que la diversidad de operaciones, sigifica que *operan* en diferentes modos y no siempre de la misma forma en diferentes individuos.

Por otra parte, hay quienes creen que hay diversidades de dones, así que hay dones diferentes, hay diferencia de ministerios, y hay diferencia de operaciones. Dicen que Pablo se está refiriendo aquí a tres cosas diferentes, no sólo a dones: Está hablando de dones, ministerios y operaciones.

"Pero a cada uno le es dada la manifestación del Espíritu para provecho." Fíjate que está llamando a estos dones "manifestaciones" — la manifestación de ellos es dada para provecho. Son dados para el provecho de toda la Iglesia, no un individuo.

Luego Pablo continuó diciendo: *"Porque a éste es dada por el Espíritu palabra de sabiduría; a otro,* *palabra de ciencia..."* y continúa enumerando nueve manifestaciones.

Tres Categorías de Dones

La forma más sencilla de describir estos nueve dones es que tres de ellos *dicen* algo, tres de ellos *hacen* algo, y tres de ellos *revelan* algo.

Los tres dones que *dicen* algo son los *dones de emisión.* Son: profecía, diversos géneros de lenguas, e interpretación de lenguas.

Los tres dones que *hacen* algo son los *dones de poder.* Son: el don de fe, el hacer milagros, y los dones de sanidades.

Los tres dones que *revelan* algo son los *dones de revelación.* Son: la palabra de sabiduría, palabra de ciencia, y discernimiento de espíritus.

Estos dones son enumerados en su orden de importancia. De los tres dones de revelación, la palabra de sabiduría es el mejor don.

De los tres dones de poder, el don de fe es el mejor don.

De los tres dones de emisión, el don de profecía es el mejor don.

La Biblia nos dice que procuremos los mejores dones. En la Biblia en inglés (King James) dice que *"busquemos fervorosamente"* los mejores dones.

Texto Para Memorizar:
"No quiero, hermanos, que ignoréis acerca de los dones espirituales" (1 Cor. 12:1).

LA LECCION EN ACCION: *"Pero sed hacedores de la Palabra, y no tan solamente oidores..."* (Santiago 1:22).

El Don de la Palabra de Ciencia

Textos Bíblicos: Hechos 9:10-12; 10:9-20

Verdad Central: La palabra de ciencia es la revelación sobrenatural por el Espíritu Santo de ciertos hechos en la mente de Dios.

Primero, notemos el hecho de que este don es llamado la "palabra de ciencia," y no el "don de ciencia." *"Porque a éste es dada por el Espíritu palabra de sabiduría; a otro palabra de ciencia según el mismo Espíritu"* (1 Cor. 12:8). No hay tal cosa como un "don de ciencia" espiritual. La palabra de ciencia es la revelación sobrenatural por el Espíritu Santo de ciertos hechos en la mente de Dios.

Dios es todo ciencia, o conocimiento — El todo lo sabe. Pero El no revela al hombre todo lo que sabe. El le da sólo una palabra, o una parte de lo que El sabe. Una palabra es una parte fragmentaria de una frase, así que una palabra de ciencia, o conocimiento, es simplemente una parte fragmentaria de ciencia. Dios todo lo sabe. El tiene todo el conocimiento. Pero El no imparte *todo* el conocimiento a nosotros, ni nos imparte *conocimiento;* El nos imparte una *palabra* de conocimiento — sólo aquella parte que El quiere que sepamos.

El Don es Sobrenatural

Otra cosa es que esta palabra de ciencia es una manifestación sobrenatural, como lo son todos los dones del Espíritu. Ninguno de ellos es un don natural. Si uno de ellos es natural, luego todos son naturales. Si uno de ellos es sobrenatural, luego todos son sobrenaturales.

Hay quienes dicen que Primera de Corintios 12:8 se refiere al conocimiento natural. Si eso fuera verdad, entonces los dones de sanidades no serían sanidad sobrenatural, sino simplemente sanidad a través de los avanzamientos de la ciencia médica. Nosotros claro que creemos en la ciencia médica y damos gracias a Dios por todo lo que puede hacer. Pero esta Escritura está hablando sobre la sanidad *sobrenatural.*

Si los dones del Espíritu fueran solamente dones naturales, entonces los diversos géneros de lenguas se referirían simplemente a aquellos lenguajes que la gente aprende naturalmente. Entonces incluso la gente sin ser salva podría tener este don. Pero sabemos que estos "diversos géneros de lenguas" son *sobrenaturales,* ya que somos capaces de hablar en lenguas que nunca hemos aprendido; son dadas por el Espíritu Santo. También, sabemos que este don de sanidad no es sanidad natural; esto es, *no* es la habilidad del hombre a través de la ciencia médica para asistir a la naturaleza. Es Sanidad sobrenatural — impartida por el Espíritu Santo.

Yo creo que si dos de los nueve

dones son sobrenaturales, luego los nueve son sobrenaturales. Por lo tanto, este don no es ciencia, o conocimiento, natural, sino ciencia sobrenatural — una revelación sobrenatural del Espíritu de Dios.

Confundiendo el don de la palabra de ciencia con la ciencia natural, alguien dijo, "No necesitamos algunos de estos dones menores. Nosotros tenemos el don de ciencia." La ciencia de la cual se están jactando es ciencia intelectual — conocimiento adquirido aparte del Espíritu Santo y aparte de la Palabra de Dios. Sin embargo, la ciencia a la que Pablo se está refiriendo en Primera de Corintios 12:8 es un don sobrenatural del Espíritu Santo.

El Don Manifestado a Través de Visiones

Vemos un ejemplo de la manifestación de la palabra de ciencia a través de una visión cuando Juan estaba en la Isla de Patmos. Juan escribió que estaba en el Espíritu en el Día del Señor, y que Jesús se le apareció en visión. En dicha visión Jesús le reveló a Juan la condición de las siete iglesias en Asia Menor, como encontramos en el Libro del Apocalipsis. Aunque hay un mensaje profético para nosotros hoy en día en esta revelación, estas siete iglesias existían en realidad en aquel tiempo en Asia Menor. Juan, desterrado a la Isla de Patmos, no podía de ninguna manera haber sabido lo que estaba sucediendo en esas ciudades o iglesias; pero Jesús le reveló su condición espiritual. Esto era una palabra de ciencia.

Otro ejemplo de este don en operación es encontrado en el capítulo noveno de los Hechos.

HECHOS 9:10-12
10 Había entonces en Damasco un discípulo llamado Ananías, a quien el Señor dijo en visión: Ananías. Y él respondió: Heme aquí, Señor.
11 Y el Señor le dijo: Levántate, y vé a la calle que se llama Derecha, y busca en casa de Judas a uno llamado Saulo, de Tarso; porque he aquí, él ora.
12 y ha visto en visión a un varón llamado Ananías, que entra y le pone las manos encima para que recobre la vista.

Aquí nuevamente la palabra de ciencia fue manifestada en una visión, pero esta vez le vino a un laico. Ananías no era un apóstol, como lo era Juan. El no era pastor o evangelista. Ananías ni fue enumerado como maestro. La Biblia llama a Ananías discípulo. El era simplemente un miembro de la iglesia de Damasco. Si el Señor quiere, tanto laicos como ministros pueden tener una manifestación de la palabra de ciencia.

En esta visión el Señor le dijo a Ananías que fuera a cierta casa y orara por Saulo. Al mismo tiempo El apareció a Saulo en una visión parecida, mostrándole a Saulo que Ananías iba a venir a orar por él "para que recobrara la vista."

Ananías no hubiera podido saber con su mente natural que en cierta casa en cierta calle, un hombre llamado Saulo estaba orando en aquel mismo momento. El no hubiera podido saber esto de otra forma que por revelación sobrenatural: una palabra de ciencia.

HECHOS 10:9-20

9 ... Pedro subió a la azotea para orar, cerca de la hora sexta.

10 y tuvo gran hambre, y quiso comer; pero mientras le preparaban algo, le sobrevino un éxtasis;

11 y vio el cielo abierto, y que descendía algo semejante a un gran lienzo, que atado de las cuatro puntas era bajado a la tierra;

12 en el cual había de todos los cuadrúpedos terrestres y reptiles y aves del cielo.

13 Y le vino una voz: Levántate, Pedro, mata y come.

14 Entonces Pedro dijo: Señor, no; porque ninguna cosa común o inmunda he comido jamás.

15 Volvió la voz a él la segunda vez: Lo que Dios limpió, no lo llames tú común.

16 Esto se hizo tres veces; y aquel lienzo volvió a ser recogido en el cielo.

17 Y mientras Pedro estaba perplejo dentro de sí sobre lo que significaría la visión que había visto, he aquí los hombres que habían sido enviados por Cornelio, los cuales, preguntando por la casa de Simón, llegaron a la puerta.

18 Y llamando, preguntaron si moraba allí un Simón que tenía por sobrenombre Pedro.

19 Y mientras Pedro pensaba en la visión, le dijo el Espíritu: He aquí, tres hombres te buscan.

20 Levántate, pues, y desciende, y no dudes de ir con ellos, porque yo los he enviado.

Aquí nuevamente la palabra de ciencia fue manifestada a través de una visión. A Pedro le sobrevino un éxtasis y vió una visión. Mientras estaba pensando en lo que significaba, el Espíritu Santo le dijo, "Tres hombres te buscan," Pedro no sabía que los hombres estaban allí. No tenía ningún medio de saber que estaban allí, excepto que el Espíritu Santo se lo dijo. Esto fue una palabra de ciencia — una revelación sobrenatural.

El Don Manifestado a Través de una Revelación Interior

A veces la palabra de ciencia viene por una revelación interior. Cuando Jesús habló con la mujer en el pozo de Samaria, El usó la palabra de ciencia para convencerle a ella, una pecadora, de su necesidad de un Salvador (Juan 4). Esta mujer le preguntó a Jesús quién era, y El le respondió, "Si conocieras quien soy y me pidieras, yo te daría agua con la que nunca más tendrías sed."

"Dame esa agua, para que no tenga que venir aquí a sacarla," ella dijo pensando acerca del agua en el pozo.

Jesús dijo, "El agua que yo te daré será en ti una fuente de agua que salte para vida eterna."

La mujer quería *aquella* agua. Jesús le dijo que fuera a buscar a su marido. Cuando ella le contestó que no tenía marido, El dijo, "Bien has dicho. Has tenido cinco maridos, y el hombre con el que vives ahora no es tu marido." Jesús supo esto por una revelación interior — una palabra de ciencia — y usó este don para señalarle a ella a la salvación. La palabra de ciencia puede manifestarse en muchas diferentes maneras. Puede venir a través de lenguas e interpretación, a través del don de profecía, o un ángel puede venir a traer una palabra de ciencia. Dios tiene muchas formas de hacer las cosas. A menudo estos dones operan juntos — nosotros los separamos para poder definirlos.

A veces este don de la palabra de ciencia se confunde con un profundo conocimiento de la Biblia. Un ministro me dijo que él tenía la palabra de ciencia ¡porque había estudiado tanto la Biblia! Aunque es verdad que Dios nos ayuda a entender la Palabra, y nosotros recibimos conocimiento, o ciencia, al estudiarla, esa clase de conocimiento no es un don sobrenatural. La palabra de ciencia sí que funciona en conección con la Biblia; Dios sí que revela cosas en conección con Su Palabra las cuales no sabemos. Pero si esto fuera todo a lo que se refiere, no tendríamos que estudiar. Sin embargo Pablo le dijo al joben ministro Timoteo que estudiara. En su carta a este joven pastor de una iglesia del Nuevo Testamento, Pablo dijo, *"Estudia para presentarte a Dios aprobado . . ."* (2 Tim. 2:15). Así que esta clase particular de conocimiento de la Palabra de Dios viene por el estudiar, pero la palabra de ciencia viene por revelación sobrenatural impartida por Dios.

Otra idea equivocada sobre el don de la palabra de ciencia es que es aquel conocimiento muy real que viene por el andar con Dios. Mientras es verdad que uno sí que adquiere un conocimiento de Dios por el andar con El, ese conocimiento es diferente al conocimiento sobrenatural.

Un ejemplo de la diferencia entre la palabra de ciencia y la ciencia natural es hallado en la historia del Antiguo Testamento de cómo Dios le habló al muchacho Samuel (1 Sam. 3:4-10). Samuel estaba en el Templo ayudando al profeta Elí. Una noche Samuel oyó una voz llamar su nombre, Pensando que era Elí llamándole, se levantó y fué a él. Elí le dijo que él no le había llamado, así que Samuel se fué otra vez a la cama. De nuevo oyó una voz diciendo, "Samuel, Samuel . . ." De nuevo corrió a Elí y de nuevo Elí lo envió de vuelta a la cama. Cuando esto sucedió por tercera vez, Elí se dio cuenta de que Dios debía estar hablando al muchacho, y Elí le dijo a Samuel que respondiera la próxima vez que la voz llamara su nombre.

Elí había estado andando con Dios, pero no había sido muy fiel a Dios en criar a sus hijos como debiera haberlo hecho. El conocía las cosas de Dios, pero no había oído la voz de Dios aquella noche.

Así que vemos que la palabra de ciencia no viene por una larga experiencia con Dios. Hay un conocimiento de Dios que es obtenido a través de una comunión cercana con El y por experimentar Sus caminos, tal y como al andar con un amigo llegamos a conocernos mejor. A medida que caminamos con Dios, nuestro conocimiento de El crece. Pero esto no es lo mismo que esta manifestación sobrenatural de la palabra de ciencia.

Esta manifestación del Espíritu de Dios no es sólo para ayer; es también para hoy en día. Un hermano Bautista lleno del Espíritu que es presidente de su Sucursal Local de la Confraternidad de los Hombres de Negocios del Evangelio Completo, me contó en cierta ocasión una experiencia que tuvo. El dijo, "Pasé por una gran iglesia Católica Romana y algo pareció decirme que me parara. Así que aparqué en el aparcamiento de la iglesia, me paré, y me quedé sentado allí durante un rato orando.

"Algo pareció decirme que el sacerdote estaría orando en su oficina y que yo debía ir adentro, imponerle las manos, y que sería lleno del Espíritu Santo. Yo dudé. No quería desacreditarme a mí mismo. Sentado en mi automóvil, oré durante un rato más. Luego decidí que no me haría mingún daño ir y ver si podía encontrar al sacerdote, y ver si Dios era el que me estaba guiando en verdad."

Este ejectuvio de negocios encontró su camino al interior de la iglesia y llamó a la puerta del estudio del sacerdote. Oyó una voz invitándole a entrar, y él abrió la puerta para ver a un sacerdote sentado en su escritorio con varios libros abiertos enfrente de él. Al entrar, el sacerdote se levantó y le saludó, y se presentaron uno al otro.

Cuando el sacerdote oyó que este hombre era el presidente de la Sucursal Local del Evangelio Completo, él dijo inmediatamente, "¡Gloria a Dios!" Precisamente estaba leyendo acerca de lo que Dios está haciendo en estos tiempos en este movimiento del Espíritu. Estaba leyendo sobre el bautismo del Espíritu Santo y el hablar en lenguas, y el Señor dió testimonio a mi espíritu de que esto es lo que yo necesito. Me doy cuenta de mi necesidad espiritual. Sólo hace diez minutos doblé la cabeza y dije, "Señor, no conozco a nadie en esta ciudad que haya tenido esta experiencia. Envía a alguien para que ore por mí." ¡Y aquí está usted!

El ejecutivo de negocios me dijo, "Aquel sacerdote se arrodilló, y le impuse las manos, y él empezó a hablar en lenguas casi instantáneamente, levantando ambas manos al Cielo."

Es sorprendente lo que está ocurriendo en estos tiempos. Dios está visitando corazones hambrientos en todo lugar. El no va a prestar ninguna atención a ninguna de las viejas fronteras de denominaciones que nosotros hemos levantado y a las etiquetas que hemos llevado puestas. Uno puede poner cualquier clase de etiqueta en una lata vacía, pero eso no pone nada dentro de la lata. No es la etiqueta lo que cuenta; es lo que hay adentro.

Esta era una manifestación de la palabra de ciencia muy parecida a aquellas que ocurrieron en los Hechos de los Apóstoles — sucediendo porque el Espíritu Santo aún se está manifestando a sí mismo entre aquellos que creen.

¡Necesitamos manifestaciones sobrenaturales hoy en día tanto como los primers cristianos las necesitaban!

Texto Para Memorizar:
"Porque a éste es dada por el Espíritu palabra de sabiduría; a otro, palabra de ciencia según el mismo Espíritu" (1 Cor. 12:8).

LA LECCION EN ACCION: *"Pero sed hacedores de la Palabra, y no tan solamente oidores . . ."* (Santiago 1:22).

62

Lección 16

El Don de la Palabra de Ciencia en el Antiguo Testamento

Textos Bíblicos: 1 Reyes 19:2-4,14,18; 2 Reyes 5:25,26; 6:9-12; 1 Samuel 9:3,4,6,19,20; 10:21-23

Verdad Central: A través de la palabra de ciencia, el desanimado puede ser comfortado, los santos alegrados, propiedad perdida recobrada, el enemigo derrotado, y el Señor Jesucristo glorificado.

Las manifestaciones sobrenaturales de los dones del Espíritu ocurrieron en el Antiguo Testamento así como en el Nuevo Testamento. De hecho, todos los dones del Espíritu con excepción de las lenguas y la interpretación de lenguas, estuvieron en operación en los tiempos del Antiguo Testamento. (Veremos la razón de ésto cuando estudiemos estos dones.)

Los otros dones fueron manifestados por primera vez en el Nuevo Testamento bajo el ministerio de Jesús. Luego, después del Día de Pentecostés, las lenguas y la interpretación de lenguas también empezaron a ser manifestados.

La Palabra de Ciencia Usada Para Iluminar a un Siervo Desanimado

1 REYES 19:2-4,14,18

2 Entonces envió Jezabel a Elías un mensajero, diciendo: Así me hagan los dioses, y aun me añadan, si mañana a estas horas yo no he puesto tu persona como la de uno de ellos.

3 Viendo, pues, el peligro, se levantó y se fue para salvar su vida, y vino a Beerseba, que está en Judá, y dejó allí a su criado.

4 Y él se fue por el desierto un día de camino, y vino y se sentó debajo de un enebro; y deseando morirse, dijo: Basta ya, oh Jehová, quítame la vida, pues no soy yo mejor que mis padres.

14 El respondió: He sentido un vivo celo por Jehová Dios de los ejércitos; porque los hijos de Israel han dejado tu pacto, han derribado tus altares, y han matado a espada a tus profetas; y sólo yo he quedado, y me buscan para quitarme la vida.

18 Y yo haré que queden en Israel siete mil, cuyas rodillas no se doblaron ante Baal, y cuyas bocas no lo besaron.

El profeta Elías fue muy audaz arriba en la montaña al orar para que fuego cayera del cielo. Pero cuando alguien le dijo, "La reina Jezabel ha dicho que mañana a estas horas tendrá tu cabeza," Elías se volvió cobarde.

Se sentó debajo de un enebro y le pidió a Dios que le dejara morir. Le dijo a Dios, "Todos se han apartado de Ti menos yo. Todos han doblado

63

las rodillas a Baal, y yo soy el único que queda."

Pero Dios le dio una palabra de ciencia que lo animó. El dijo, "No, tu no eres el único. Yo tengo siete mil que no se doblaron ante Baal, reservados para mí mismo." Elías no hubiera podido saber esto de otra manera. Estoy seguro de que le animó el saber que el no era la única persona piadosa que quedaba; que Dios tenía siete mil que no habían doblado las rodillas a Baal.

La Palabra de Ciencia Usada Para Exponer a un Hipócrita

2 REYES 5:25,26
25 Y él entró, y se puso delante de su señor. Y Eliseo le dijo: ¿De dónde vienes Giezi? Y él dijo: Tu siervo no ha ido a ninguna parte.
26 El entonces le dijo: ¿No estaba también allí mi corazón, cuando el hombre volvió de su carro a recibirte? ¿Es tiempo de tomar plata, y de tomar vestidos, olivares, viñas, ovejas, bueyes, siervos y siervas?

Después de que Naamán fue sanado de lepra, él quería darle al profeta Elías cambios de ropa, plata, oro y otros regalos para expresar su gratitud. Eliseo, sin embargo, rehusó esos regalos. Pero el siervo de Eliseo, Giezi, corrió detrás de Naamán y le mintió, diciendo, "Después de irte, dos jóvenes profetas llegaron, y aunque mi señor no aceptaría nada para sí mismo, dijo que estaba bien el aceptar unos vestidos nuevos y unos talentos de plata y oro para estos profetas." Naamán

estaba tan contento de ser sano, que le dio a Giezi el doble de lo que pidió. Entonces Giezi escondió los regalos porque era un ladrón y un mentiroso.

Cuando Giezi volvió y Eliseo le preguntó donde había ido, él dijo, "A ninguna parte, mi Señor."

Eliseo dijo, "Mi corazón (mi espíritu) fue contigo cuando alcanzaste el carro. Yo te ví." (Cómo pudo Eliseo, sentado en su propia casa, saber lo que estaba sucediendo varias millas más adelante? ¡Dios se lo reveló! Dios le dio a Eliseo una revelación sobrenatural de lo que había sucedido, así exponiendo a un hipócrita.

La Palabra de Ciencia Dada Para Advertir a un Rey del Plan del Enemigo

2 REYES 6:9-12
9 Y el varón de Dios envió a decir al rey de Israel: Mira que no pases por tal lugar, porque los sirios van allí.
10 Entonces el rey de Israel envió a aquel lugar que el varón de Dios había dicho; y así lo hizo una y otra vez con el fin de cuidarse.
11 Y el corazón del rey de Siria se turbó por esto; y llamando a sus siervos, les dijo: ¿No me declararéis vosotros quién de los nuestros es del rey de Israel?
12 Entonces uno de los siervos dijo: No, rey señor mío, sino que el profeta Eliseo está en Israel, el cual declara al rey de Israel las palabras que tú hablas en tu cámara más secreta.

Cada vez que Siria ponía una emboscada en contra de Israel, el profeta de Dios revelaba sus planes al rey de Israel. Finalmente el rey de Siria llamó a todo su cabinete y dijo, "Debe haber un traidor entre nosotros quien nos está delatando."

Los siervos del rey contestaron, "No, no hay ningún traidor entre nosotros. Un profeta de Dios en Israel le dice al rey lo que tú hablas en tu cámara más secreta."

Esta información con respecto a las emboscadas de Siria era una revelación sobrenatural. El profeta Eliseo no podía haber sabido los planes del enemigo. El no estaba en Siria. Los planes del enemigo le fueron revelados sobrenaturalmente a través de una palabra de ciencia y su país fue salvo del peligro.

La Palabra de Ciencia Usada Para Recobrar Propiedad Perdida

1 SAMUEL 9:3,4,5,19,20
3 Y se habían perdido las asnas de Cis, padre de Saúl; por lo que dijo Cis a Saúl su hijo: Toma ahora contigo alguno de los criados, y levántate, y vé a buscar las asnas.
4 Y él pasó el monte de Efraín, y de allí a la tierra de Salisa, y no las hallaron. Pasaron luego por la tierra de Saalim, y tampoco. Después pasaron por la tierra de Benjamín, y no las encontraron....
6 El le respondió: He aquí ahora hay en esta ciudad un varón de Dios, que es hombre insigne; todo lo que él dice acontece sin falta. Vamos, pues, allá; quizá nos dará algún indicio acerca del objeto por el cual emprendimos nuestro camino....
19 Y Samuel respondió a Saúl, diciendo: Yo soy el vidente; sube delante de

mí al lugar alto, y come hoy conmigo, y por la mañana te despacharé, y te descubriré todo lo que está en tu corazón.
20 Y de las asnas que se te perdieron hace ya tres días, pierde cuidado de ellas, porque se han hallado. Mas ¿para quién es todo lo que hay codiciable en Israel, sino para ti y para toda la casa de tu padre?

Mientras Saúl había salido a buscar las asnas de su padre, las cuales o se habían perdido o alguien las había robado, alguien sugirió, "¿Por qué no vas a preguntar al profeta Samuel? El lo sabría." (Desdeluego, Samuel sabría solamente aquello que Dios le revelara, ya que si lo supiera todo sería omnisciente.) Cuando Saúl le preguntó con respecto a las asnas, Samuel le dijo, "Ya se han hallado."

La Palabra de Ciencia Usada Para Descubrir a Un Hombre Escondido

1 SAMUEL 10:21-23
21 E hizo llegar la tribu de Benjamín por sus familias, y fue tomada la familia de Matri; y de ella fue tomado Saúl hijo de Cis. Y le buscaron, pero no fue hallado.
22 Preguntaron, pues, *otra vez a* Jehová si aún no había venido allí aquel varón. Y respondío Jehová: He aquí que él está escondido entre el bagaje.
23 Entonces corrieron y lo trajeron de allí; ...

Aunque Samuel ya había ungido a Saúl para ser rey de Israel, cuando llegó el momento para echar suertes que determinaran el próximo rey, Saúl se escondió "entre el bagaje." Cuando no lo pudieron encontrar, preguntaron al Señor en vez de enviar a todo el mundo a buscarle. Ese era el modo más rápido. Sabían que el Señor sabía exactamente donde estaba Saúl. Y el Señor les dijo exactamente donde estaba Saúl, y cuando fueron a ver, lo encontraron. Esto era la palabra de ciencia en operación. La palabra de ciencia revela hechos.

La palabra de ciencia también puede ser usada para revelar enfermedades y posesión demónica. Recuerda que la revelación que la palabra de ciencia trae nunca es sobre el futuro. La palabra de ciencia trae revelación con respecto a las cosas *pasadas* o *presentes*. La palabra de sabiduría, por otra parte, trae revelación señalando al *futuro*, incluyendo el plan y el propósito de Dios.

Por la manifestación del don de la palabra de ciencia, el desanimado puede ser comfortado, los santos alegrados, propiedad perdida recobrada, el enemigo derrotado, y el Señor Jesucristo glorificado.

Texto Para Memorizar:

"Porque a éste es dada por el Espíritu palabra de sabiduría; a otro, palabra de ciencia según el mismo Espíritu;" (1 Cor. 12:8).

LA LECCION EN ACCION: *"Pero sed hacedores de la Palabra, y no tan solamente oidores..."* (Santiago 1:22).

El Don de la Palabra de Sabiduría

Textos Bíblicos: Hechos 9:10-16

Verdad Central: La palabra de sabiduría es una revelación sobrenatural por el Espíritu de Dios con respecto al propósito divino en la mente y la voluntad de Dios.

Al estudiar los nueve dones del Espíritu, las Escrituras declaran claramente que todas estas cosas las hace "... *uno y el mismo Espíritu, repartiendo a cada uno en particular como él quiere*" (1 Cor. 12:11).

Como el Cuerpo de Cristo, hemos de desear que los dones del Espíritu se manifiesten entre nosotros y luego dejarlo en las manos del Espíritu Santo para que use a los que él quiera.

El Espíritu Santo no usará a todos del mismo modo. El claramente dice que El reparte a cada uno en particular como *El* quiere. Por tanto, debemos permanecer abiertos a El y dejar que Su voluntad sea hecha, incluso en la distribución y manifestación de los dones espirituales. Nos meteremos en un lío si queremos hacer algo de esto nosotros mismos.

No todos tendrán *todos* los dones del Espíritu en manifestación, porque la Biblia dice, "Porque a ESTE es dada por el mismo Espíritu palabra de sabiduría; a OTRO, palabra de ciencia según el mismo Espíritu" (1 Cor. 12:8). Es bastante claro, entonces, que todos los dones no son dados igualmente a cada uno. Como el Cuerpo de Cristo, deseemos

estas manifestaciones y permitamos al Espíritu Santo que se manifieste a Sí mismo en medio nuestro como *El* quiera....

En cuanto a esta Escritura, "... *a éste es dada por el Espíritu palabra de sabiduría; a otro, palabra de ciencia según el mismo Espíritu*...", la gente a veces llama estas manifestaciones el don de sabiduría y el don de ciencia. Eso no es correcto, sin embargo. Debemos llamarlos como la Biblia los llama o nos confundiremos. Si llamaras a un perro, gato, confundirías a la gente. Esta Escritura no está hablando acerca de sabiduría o ciencia en el sentido general. Está hablando simplemente acerca de lo que dice — la *palabra* de sabiduría y la *palabra* de ciencia.

Dios tiene toda sabiduría y toda ciencia. El lo sabe todo, pero nunca revela a nadie *todo* lo que sabe. El simplemente les da una palabra de lo que sabe. Una palabra es una *parte* fragmentaria de la frase completa. Y así es con sabiduría. No es el don de sabiduría, es el don de la *palabra* de sabiduría que Dios revela al hombre — sólo la palabra, o parte, que El quiere que sepa.

Por ejemplo, si necesitaras consejo legal, llamarías a un abogado.

Pero el abogado no te daría toda la sabiduría legal que tiene, ya que tu no la necesitas *toda;* El sólo te daría una *parte* — una palabra — de la sabiduría legal, y eso es en realidad todo lo que necesitas.

La *palabra de ciencia* es una revelación sobrenatural por el Espíritu de Dios con respecto a ciertos hechos en la mente de Dios, relacionados con la gente, lugares, o cosas.

La *palabra de sabiduría* es una revelación sobrenatural por el Espíritu de Dios con respecto al propósito divino en la mente y voluntad de Dios. La diferencia entre estos dos dones — la palabra de sabiduría y la palabra de ciencia — es que la revelación que la palabra de ciencia trae es siempre conocimiento *presente,* o es conocimiento de algo que siempre sucedió en el *padado;* la palabra de sabiduría, por otra parte, siempre habla del *futuro.*

La Palabra de Sabiduría y la Palabra de Ciencia Amenudo Operan Juntas

Al enseñar acerca de ellos, generalmente dividimos estos dos dones y tratamos con ellos por separado; sin embargo, con frecuencia operan *juntos.*

Por ejemplo, como señalamos en la Lección 15, cuando el Señor habló a Juan en la Isla de Patmos, fue en forma de visión. Jesús apareció a Juan y le contó acerca de la condición de las siete iglesias en Asia Menor en aquellos tiempos. El entendimiento sobre la condición presente de estas siete iglesias era una manifestación de la palabra de ciencia.

Luego el Señor continuó dándole a Juan una palabra de sabiduría. Jesús les dio instrucciones a cada iglesia con respecto a lo que debían hacer en el futuro de acuerdo con Su plan y propósito para cada una.

Vemos otro ejemplo de estos dos dones operando conjuntamente en el caso del discípulo laico, Ananías.

HECHOS 9:10-16

10 Había entonces en Damasco un discípulo llamado Ananías, a quien el Señor dijo en visión: Ananías. Y el respondió: Heme aquí, Señor.
11 Y el Señor le dijo: Levántate, y vé a la calle que se llama Derecha, y busca en casa de Judas a uno llamado Saulo, de Tarso; porque he aquí, él ora,
12 y ha visto en visión a un varón llamado Ananías, que entra y le pone las manos encima para que recobre la vista.
13 Entonces Ananías respondió: Señor, he oído de muchos acerca de este hombre, cuántos males ha hecho a tus santos en Jerusalén;
14 y aun aquí tiene autoridad de los principales sacerdotes para prender a todos los que invocan tu nombre
15 El Señor le dijo: Vé, porque instrumento escogido me es éste, para llevar mi nombre en presencia de los gentiles, y de reyes, y de los hijos de Israel;
16 porque yo le mostraré cuánto le es necesario padercer por mi nombre.

En este pasaje vemos ambos dones, la palabra de ciencia y la palabra de sabiduría en operación. El Señor le dijo a Ananías dónde debía ir a encontrar a Saulo, y que Saulo había estado orando y había visto una visión. El Señor incluso le dijo a Ananías la misma calle, la misma casa, y la persona a la que debía acudir. Todos estos eran hechos presentes. El Espíritu Santo también le reveló a Ananías que en la visión de Saulo, Saulo había visto a un hombre llamado Ananías entrar y poner las manos encima de él para que recibiera la vista. Esto, también, era una revelación, dada a través de una visión, a Ananías con respecto a hechos presentes acerca de Saulo. Por tanto, esto era la palabra de ciencia en operación.

Pero una revelación más amplia fue dada también a Ananías. Esta otra revelación era una palabra de sabiduría porque revelaba el plan y el propósito de Dios, como leemos en el versículo 15: *"El Señor le dijo: Vé, porque instrumento escogido me es éste, para llevar mi nombre en presencia de los gentiles, y de reyes, y de los hijos de Israel;"*

Dando aún una mayor revelación, el Señor le dijo a Ananías, *"Porque yo le mostraré cuánto le es necesario padecer por mi nombre."* Esto no significaba que Saulo (más tarde llamado Pablo) iba a estar enfermo por causa de Jesús, sino que sufriría mucha persecución e injuria física. Y así fue. Fue apedreado y dejado por muerto. Cinco veces los judíos le dieron treinta y nueve latigazos. Tres veces padeció naufragio. Dondequiera que Pablo iba, había quienes causaban tumultos encontra suya, y él sufrió muchas cosas por causa de Dios. Esta revelación dada a Ananías concerniente a

las grandes cosas que Pablo sufriría, era también una manifestación de este don sobrenatural llamado la palabra de sabiduría.

En el capítulo octavo de los Hechos, tenemos otro ejemplo de este don de la palabra de sabiduría en operación a través de un laico. En esta ocasión, Felipe aun era un diácono, señalado para servir las mesas. Más tarde Dios le hizo un evangelista.

HECHOS 8:26-29
26 UN ANGEL DEL SEÑOR habló a Felipe, diciendo: Levántate y vé hacia el sur, por el camino que desciende de Jerusalén a Gaza, el cual es desierto.
27 Entonces él se levantó y fue. Y sucedió que un etíope, eunuco, funcionario de Candace reina de los etíopes, el cual estaba sobre todos sus tesoros, y había venido a Jerusalén para adorar,
28 volvía sentado en su carro, y leyendo al profeta Isaías,
29 y el Espíritu dijo a Felipe: Acércate y júntate a ese carro.

Dios reveló Su plan y propósito a Felipe a través del mensaje del ángel. En este mensaje, Dios dirigió a Felipe a hacer algo — tal y como cualquiera podría ser dirigido por el Espíritu. Y en el mensaje, Dios le dijo que fuera al desierto, y Felipe tuvo que ir por fe. El mensaje del ángel era una revelación que revelaba algo acerca del propósito y plan de Dios; no todo el plan de Dios, sino sólo una parte de este — sólo *una palabra.* Por tanto, esta era la palabra de sabiduría en operación.

La Sabiduría Natural

La palabra de sabiduría es amenudo confundida con la simple sabiduría usada al tratar con los asuntos de la vida. Pero la sabiduría que trata con los asuntos de la vida diaria no es un don espiritual del Espíritu Santo.

Al principio del ministerio de Josué, Dios le dijo que la llave para su éxito descansaría en meditar la Palabra de Dios: *"Nunca se apartará de tu boca este libro de la ley, sino que de día y de noche meditarás en él, para que guardes y hagas conforme a todo lo que en él está escrito; porque entonces harás prosperar tu camino, y todo te saldrá bien"* (Josué 1:8).

Otra traducción dice, "Harás prosperarte a ti mismo y serás capaz de tratar sabiamente en los asuntos de la vida."

Sí, hay una sabiduría que ganar a través del conocimiento de la Palabra de Dios, pero esa sabiduría no es la manifestación sobrenatural del don de la palabra de sabiduría.

Algunos piensan que la sabiduría de Salomón era una manifestación de la palabra de sabiduría sobrenatural, pero no lo era. La sabiduría de Salomón le fue dada por Dios. Esta misma clase de sabiduría nos es prometida en Santiago 1:5, *"Y si alguno de vosotros tiene falta de sabiduría, pídala a Dios, el cual da a todos abundantemente y sin reproche, y le será dada."*

La sabiduría de la que Santiago está hablando es la sabiduría para tratar sabiamente en los asuntos de la vida — sabiduría para saber cómo conducirse a sí mismo como un cristiano. Dios ha prometido que esta sabiduría — la cual yo llamo sabiduría general para tratar en los asuntos de la vida — está al alcance de todos los que piden por ella. Dios sí que imparte sabiduría, pero esta no es la manifestación sobrenatural de la *palabra de sabiduría.*

Al escribir a los creyentes, Santiago dijo que si *alguno* tenía falta de sabiduría, pídala a Dios. Pero Pablo dijo en nuestro texto, "A este es dada palabra de sabiduría" — a *este;* no a *todos,* sino a *uno.* Esto infiere que no todos van a tener estas manifestaciones. Pablo concluye diciendo que estas manifestaciones de los dones sobrenaturales del Espíritu Santo son dadas solamente como el Espíritu quiere.

Cuando Dios decide revelar Su propia mente y propósito y plan al hombre de una manera sobrenatural, lo hace a través de la manifestación sobrenatural de la palabra de sabiduría. Y ese don de la palabra de sabiduría debe distinguirse a la sabiduría general al tratar con asuntos de la vida que El dará a todos los que lo piden.

Texto Para Memorizar:

"Porque a éste es dada por el Espíritu palabra de sabiduría ..." (1 Cor. 12:8).

LA LECCION EN ACCION: *"Pero sed hacedores de la Palabra, y no tan solamente oidores..."* (Santiago 1:22).

El Don de la Palabra de Sabiduría (Parte 2)

Textos Bíblicos: Hechos 11:28-30; 21:10,11
Verdad Central: Dios revela Su propósito y plan para el futuro a través de la palabra de sabiduría.

A veces lo que llamamos profecía no es el simple don de profecía de ninguna manera. Si lo que es dado tiene un elemento de revelación en ello, es en realidad una *palabra de ciencia.*

No hay revelación en el simple don de profecía. De acuerdo con Primera de Corintios 14:3, el don de profecía "... *habla a los hombres para EDIFICACION, EXHORTACION y CONSOLACION.*" Si una persona es usada solamente en el simple don de profecía — si no tiene manifestaciones de los otros dones en su ministerio — entonces sus profecías tratarán sólo con edificación, exhortación y consolación.

Los profetas del Antiguo Testamento, por otra parte, tenían que tener los dones del Espíritu Santo en operación en sus vidas para poder permanecer en el oficio del profeta, porque hacían predicciones en cuanto al futuro. Y como hemos visto, el simple don de profecía no tiene predicción en él. Por tanto, las predicciones de los profetas, aunque venían a través de profecía, eran en realidad palabras de sabiduría. Por ejemplo, viajamos en automóvil pero no somos un automóvil. Del mismo modo, a veces una palabra de sabiduría es transmitida por la profecía, pero en realidad no es una profecía. Es una palabra de sabiduría.

La Palabra de Sabiduría Puede Venir de Muchas Formas

La Palabra de Sabiduría, como la palabra de ciencia, puede ser dada por una voz audible, una visión, o un sueño. También puede venir a través del don vocal de profecía, o a través de lenguas e interpretación.

En el Antiguo Testamento, José recibió una palabra de sabiduría a través de un sueño que reveló el plan y el propósito de Dios para el futuro.

Moisés recibió la revelación de la Ley en una voz audible como Dios se la dio a él. Esta Ley concernía el propósito de Dios para con Israel; por tanto, tenía que ser la palabra de sabiduría la que fue ejercitada.

Esto también es verdad de los profetas del Antiguo Testamento quienes profetizaban muchas cosas concernientes al futuro de Israel, el Nuevo Pacto, el Mesías venidero, e incluso acontecimientos aun no consumados. Lo transmitían a través de profecia, pero era en realidad una palabra de sabiduría lo que recibían.

A través del Antiguo Testamento al profetizar los profetas, la palabra de sabiduría y la palabra de ciencia fluían juntamente. En el Nuevo Testamento vemos lo mismo en operación.

HECHOS 11:28-30

28 Y levantándose uno de ellos, llamado Agabo, daba a entender por el Espíritu, que vendría una gran hambre en toda la tierra habitada; la cual sucedió en tiempo de Claudio.
29 Entonces los discípulos, cada uno conforme a lo que tenia, determinaron enviar socorro a los hermanos que habitaban en Judea;
30 lo cual en efecto hicieron, enviándolo a los ancianos por mano de Bernabé y de Saulo.

Agabo profetizó que vendría sequía, y la gente le creyó porque era un hombre íntegro que tenía un ministerio comprobado. (No podemos creer todo lo que dice cualquiera. Debemos tener discernimiento para poder juzgar las cosas de acuerdo con la Palabra de Dios.) Pero cuando Agabo profetizó acerca de la sequía, la gente inmediatamente empezó a prepararse para enviar socorro a las víctimas de la sequía.

Nuevamente leemos acerca del profeta Agabo en el capítulo veintiuno de los Hechos. Pablo y su compañía, incluyendo a Lucas, el escritor del libro de los Hechos, estaban en la casa de Felipe.

HECHOS 21:10-11

10 Y permaneciendo nosotros allí algunos ditás, descendió de Judea un profeta llamado Agabo,
11 quien viniendo a vernos, tomó el cinto de Pablo, y atándose los pies y las manos, dijo: Esto dice el Espíritu Santo: Así atarán los judíos en Jerusalén al varón de quien es este cinto, y le entregarán en manos de los gentiles.

Nota que algo fue revelado. *Cuando llega cualquier REVELACION, es siempre una palabra de sabiduría, una palabra de ciencia, o discernimiento de espíritus* porque estos son los uníos tres dones de revelación. No otros son mencionados en la Biblia. La revelación con respecto a Pablo no era una palabra de ciencia, ya que trataba con el *futuro.* "Ciencia" (o conocimiento) circunda hechos pasados y presentes y acontecimientos que nos son dados a través del Espíritu Santo de Dios. Una palabra de "sabiduría" es revelación del futuro que nos es dada a través del Espíritu Santo; Dios en Su sabiduría divina lo sabe todo acerca del futuro.

Luego Lucas dijo, *"Al oír esto, le rogamos nosotros y los de aquel lugar, que no subiese a Jerusalén. Entonces Pablo respondió: ¿Qué hacéis llorando y quebrantándome el corazón? Porque yo estoy dispuesto no sólo a ser atado, mas aun a morir en J Jerusalén por el nombre del Señor Jesús"* (vs. 12,13).

Despúes Lucas dijo, "Y como no le pudimos persuadir, desistimos, diciendo: Hágase la voluntad del Señor." Esta era una revelación de la voluntad de Dios, la cual iba a suceder en el futuro; por tanto, era una palabra de sabiduría. Y llegó a suceder.

La Palabra de Sabiduría Puede ser Condicional

Hay algunas ocasiones en el Antiguo Testamento donde el profeta recibió una palabra de Dios que no vino a suceder. Algunas cosas son condicionales. En el caso del rey Ezequías, Dios le dijo a Isaías que le diera una palabra de sabiduría concerniente al futuro — al plan y el propósito de Dios bajo las condiciones presentes. Isaías le dijo a Ezequías, ". . . Ordena tu casa, porque morirás, y no vivirás." (2 Reyes 20:1).

Isaías entregó el mensaje y empezó a salir del palacio. Ezequías volvió su rostro a la pared, se arrepintió de su iniquidad, lloró y oró a Dios, y le recordó que había caminado con Dios y había guardado Sus mandamientos en tiempos pasados.

La palabra del Señor vino a Isaías incluso antes de que saliese hasta la mitad del patio, instruyéndole a que volviese y le diera a Ezequías otra palabra de sabiduría. (Era una palabra de sabiduría porque concernía al futuro.) "Dile que añadiré a sus días quince años," dijo Dios.

Dios también habló al profeta Jonás y le dio una palabra de sabiduría que Nínive iba a ser destruida. Era una palabra de sabiduría porque concernía el plan y el propósito de Dios para el futuro.

¡A Jonás no le importaba si Nínive era destruida o no! El no quería ir a prevenir a los enemigos de Israel. Dios trató con el, sin embargo, hasta que fué obediente a ir y predicar a la gente de Nínive, avisándoles del juicio venidero inminente si no se volvían a Dios. Se arrepintieron y el juicio no cayó sobre ellos en aquella generación (aunque eventualmente cayó).

La Palabra de Sabiduría Usada Para Apartar a Aquellos Con un Ministerio Especial

El don de la palabra de sabiduría es también usado para revelar el plan de Dios a aquellos que El quiere usar en el ministerio. Vimos un ejemplo de esto en nuestra última lección. Dios envió a Ananías a orar por Saulo, diciéndole, ". . .instrumento escogido me es éste, para llevar mi nombre en presencia de los gentiles, y de reyes, y de los hijos de Israel . . ." (Hechos 9:15).

La Palabra de Sabiduría Usada Para Asegurar de la Protección de Dios

La palabra de sabiduría también es dada para asegurar de la liberación venidera en un tiempo de calamidad. Cuando Pablo estaba abordo de un barco en ruta a Roma para aparecer delante de Cesar, una tormenta violenta se levantó. Pablo había recibido una palabra de sabiduría para sus compañeros pasajeros incluso antes de que partieran. El había dicho, ". . . veo que la navegación va a ser con perjuicio y mucha pérdida . . ." (Hechos 27:10). Pero como el viento del sur soplaba suavemente, no hicieron caso de la advertencia de Pablo y zarparon.

Si hubieran escuchado a Pablo, no habrían perdido la nave y todo su cargamento. Por no hacer caso a su advertencia, sin embargo, tuvieron que echarlo todo al mar. Finalmente, toda la esperanza estaba perdida. Pero en medio de tal calamidad, Pablo avanzó. ¡El había oído del Cielo!

Pablo dijo, *"Porque esta noche ha estado conmigo el ángel del Dios de quien soy y a quien sirvo, diciendo: Pablo, no temas; ... Dios te ha concedido todos los que navegan contigo"* (Hechos 27:23,24). Pablo dijo, "La nave se hundirá y será perdida. Escuchar lo que os estoy diciendo, porque tendréis que quedaros en la nave." Estaban a punto de dejarla, pero todos se quedaron, y ningún hombre fue perdido.

¡Cuán extremadamente necesitamos tales manifestaciones sobrenaturales hoy en día! ¡Gracias a Dios, *nosotros podemos oir y oímos del cielo a través de la manifestación de los dones del Espíritu!*

Texto Para Memorizar:
"... Porque a éste es dada por el Espíritu palabra de sabiduría; ..." (1 Cor. 12:8).

LA LECCION EN ACCION: *"Pero sed hacedores de la Palabra, y no tan solamente oidores..."* (Santiago 1:22).

Lección 19

El Don del Discernimiento de Espíritu

Textos Bíblicos: Exodo 33:20-23; Hechos 16:16-18
Verdad Central: El discernimiento de espíritus da percepción clara dentro del mundo espiritual.

Como repaso, los nueve dones del Espíritu pueden ser divididos en tres categorías: tres dones que *revelan* algo, tres dones que *hacen* algo, y tres dones que *dicen* algo.

Los tres dones de revelación — dones que *revelan* algo — son la palabra de sabiduría, la palabra de ciencia, y el discernimiento de espíritus.

Los tres dones de poder, como son amenudo llamados — dones que *hacen* algo — son el don de fe, el hacer milagros, y los dones de sanidades.

Los tres dones inspiracionales, o dones vocales — dones que *dicen* algo — son el don de profecía, diversos géneros de lenguas, y la interpretación de lenguas.

Amenudo estos dones operan juntos, como en el caso de las lenguas y la interpretación. Pero aquí los dividimos con el propósito de distinguirlos y estudiarlos.

Nuestras lecciones anteriores han tratado con dos de los tres dones que revelan algo: *la palabra de sabiduría y la palabra de ciencia.* En esta lección cubriremos el tercer don de revelación: *el discernimiento de espíritus.*

El más importante de los tres dones de revelación, desdeluego, es la palabra de sabiduría. Enumerados en su orden de importancia son: (1) la palabra de sabiduría, (2) la palabra de ciencia, y (3) el discernimiento de espíritus.

Todo lo que está dentro del ámbito del conocimiento — hechos, sucesos, propósito, motivo, orígen, destino; humano, divino o satánico; natural or sobrenatural; pasado, presente, o futuro — se encuentra dentro del campo focal de estos tres dones. Estos incluyen en su esfera comprensiva todo lo que Dios sabe. *Y no hay nada que Dios sabe que no le sea conocido al hombre a medida que el Espíritu quiera a través de la agencia de uno o más de estos dones.*

La *palabra de sabiduría* nos da una revelación de la mente y propósito de Dios. Podemos entender por qué este don ocuparía el primer lugar, ya que es más importante el tener una revelación de la mente y el propósito de Dios que nada. La palabra de sabiduría trata con el futuro.

La *palabra de ciencia* nos da una revelación de algo en el presente, o el pasado.

El *discernimiento de espíritus* nos da percepción clara dentro del mundo del espíritu. *En realidad tiene un campo más limitado que los otros*

75

dos dones de revelación, porque su revelación está limitada a una clase singular de objetos — los espíritus. Las revelaciones que la palabra de sabiduría y la palabra de ciencia traen son más ámplias y tienen que ver con personas, lugares, y cosas, mientras que el discernimiento de espíritus da percepción clara sólo dentro del ámbito de los espíritus.

Permítanme decir aquí que no se trata del "discernimiento de demonios," ni del "discernimiento de espíritus *inmundos*." El decir que el discernimiento de espíritus tiene que ver solamente con demonios es falso. Es una percepción clara sobrenatural dentro del ámbito de los espíritus buenos y malos. El discernimiento de espíritus inmundos está incluído, pero demasiada gente ha pensado que el discernimiento de espíritus inmundos es todo a lo que este don se refiere, y así han sido engañados.

El Discernimiento de la Similitud de Dios

Dios le permitió a Moisés que viera dentro del ámbito de los espíritus. El le dijo a Moisés, "No puedes mirar mi rostro, pero te voy a esconder en la hendidura de la peña y pondré mi mano sobre tu rostro; voy a pasar y te dejaré que veas mis espaldas."

EXODO 33:20-23
20 Dijo más: No podrás ver mi rostro; porque no me verá hombre, y vivirá. **21** Y dijo aún Jehová: He aquí un lugar junto a mí, y tu estarás sobre la peña;

22 y cuando pase mi gloria, yo te pondré en una hendidura de la peña, y te cubriré con mi mano hasta que haya pasado.
23 Después apartaré mi mano, y verás mis espaldas; mas no se verá mi rostro.

Este es un ejemplo de Moisés viendo en el ámbito del espíritu. Fue capaz de ver la similitud (o la semejanza) de Dios.

A través de toda la Palabra de Dios encontramos a quienes en visiones han podido ver la similitud de Dios. No vieron a Dios; vieron la semejanza de Dios. Al ser El revelado, estaban viendo dentro del mundo espiritual. Por ejemplo, Isaías dijo, *"En el año que murió el rey Uzías ví yo al Señor sentado sobre un trono alto y sublime ..."* (Isaías 6:1). Esto fue una manifestación del discernimiento de espíritus.

El Discernimiento del Cristo Resucitado

A través del discernimiento de espíritus, o el ver dentro del ámbito del espíritu, ¡uno puede incluso discernir al Cristo resucitado! Nadie le ha visto en realidad, *físicamente* desde Su ascensión y Su sentarse en lo alto. El está sentado a la diestra del Padre, donde está "viviendo siempre para interceder" por nosotros (Heb. 7:25). Pero a través de este don sobrenatural del discernimiento de espíritus, hay quienes en ocasiones han podido ver dentro del ámbito del espíritu y ver a Jesús.

El Discernimiento del Espíritu Santo

Juan, en su visión en la isla de Patmos, vió al Espíritu Santo como siete espíritus delante del trono de Dios. Esto simplemente significaba que Juan estaba viendo dentro del ámbito espiritual y viendo siete aspectos del Espíritu de Dios.

Tal clase de visiones serían una manifestación del don del discernimiento de espíritus. Una visión podría traer consigo una palabra de sabiduría y/o una palabra de ciencia. Pero la visión misma sería el don del discernimiento de espíritus en operación ya que tal persona estaría en ese momento viendo dentro del mundo espiritual. El "discernir" significa "ver," así que una persona está discerniendo o viendo dentro del ámbito de los espíritus. Y en el mundo del espíritu hay espíritus divinos y espíritus inmundos, ambos.

El discernir los espíritus también significa el discernir del querubín, serafín, arcángeles, el ejército de ángeles, o el discernir de Satanás y sus legiones. También se refiere al discernimiento del espíritu humano, con sus tendencias buenas o malas.

El Discernimiento de Espíritus

El don del discernimiento de espíritus también revela la clase de espíritu por detrás de una manifestación supernatural — sea bueno o malo. Un ejemplo de esto lo encontramos en el ministerio del ápostol Pablo.

HECHOS 16:16-18
16 Acontenció que mientras íbamos a la oración, nos salió al encuentro una muchacha que tenía espíritu de adivinación, la cual daba gran ganancia a sus amos, adivinando.
17 Esta, siguiendo a Pablo y a nosotros, daba voces diciendo: Estos hombres son siervos del Dios Altísimo, quienes os anuncian el camino de salvación.
18 Y esto lo hacía por muchos días; mas desagradando a Pablo, éste se volvió y dijo AL ESPIRITU: Te mando en el nombre de Jesucristo, que salgas de ella. Y salió en aquella misma hora.

Por el discernimiento de espíritus, Pablo supo que esta muchacha que estaba siguiendo a su grupo a través de las calles de Filipo tenía un espíritu de adivinación. Cuando el don del discernimiento de espíritus estaba en operación, Pablo se volvió a ella y le habló directamente al espíritu, ordenándole que saliera de ella. Nota que Pablo trató con el espíritu envuelto; no la persona. (Y después de su liberación, la muchacha ya no podía hacer más adivinaciones: ¡Aquel espíritu de adivinación había salido de ella!)

Las manifestaciones sobrenaturales en el ámbito en el que vivimos se originan en una de dos fuentes: Dios o el diablo. *Muchas cosas que nos parecen milagrosas a nosotros en realidad no vienen de Dios.* No debemos olvidar que Satanás también es un ser sobrenatural. Demasiado amenudo la gente está lista a seguir cualquier cosa, ¡sea o no sea respaldada por las Escrituras!

Podemos identificar correctamente una manifestación genuína del Espíritu de Dios si el discernimiento de espíritu está en operación. A través de este don, podemos saber qué espíritu está por detrás de esa operación. Por otra parte, podemos identificar correctamente la fuente de la manifestación incluso sin tener el discernimiento de espíritus en operación en nuestra vida. ¿Cómo puede ser ésto posible? Porque si conocemos la Palabra de Dios y estamos andando en el Espíritu, tendremos un testimonio interior que nos guiará y distinguiremos lo verdadero de lo falso.

Romanos 8:14 nos dice, *"Porque todos los que son guiados por el Espíritu de Dios, éstos son hijos de Dios."* Este versículo implica que *todos* los hijos de Dios pueden ser guiados por el Espíritu. Pero las Escrituras ciertamente no implican que *todos* los hijos de Dios tendrían el don del discernimiento de espíritus. Primera de Corintios 12:8-10 dice, *"Porque a éste es dada por el Espíritu palabra de sabiduría; a otro palabra de ciencia . . . a otro, discernimiento de espíritus . . ."* Esto no declara o incluso implica que todos tendrían estos dones, pero sí que implica que todo creyente puede ser guiado por el Espíritu. Necesitamos distinguir la diferencia entre los dos: Algunas cosas nos son reveladas por el testimonio interior, y otras cosas nos son reveladas por el discernimiento de espíritus.

"Discernir" No Leer La Mente

Alguien ha dicho que el mejor modo de averiguar lo que algo es, es averiguar lo que *no* es. Así que

miremos algunas de las cosas que el discernimiento de espíritus no es.

Primero, el discernimiento de espíritus no es "discernimiento." Hay quienes dicen, "Tengo el don del *discernimiento.*" En realidad, no hay tal don mencionado en la Biblia. La Biblia llama este don el *discernimiento de espíritus.* Muchas veces lo que la gente llama "el don del discernimiento" es en realidad el don de la palabra de ciencia en operación. La gente *sabe* cosas por el Espíritu de Dios y equivocadamente llaman a ese don "discernimiento."

El discernimiento de espíritus no es una clase de "lectura mental" espiritual. Ni es tampoco una percepción psicológica, penetración mental, o el poder de discernir las faltas en otros; ya que este encontrar faltas, he notado, lo poseen ¡no sólo creyentes sino también no creyentes! No tienes ni que ser convertido para recibir este "don." Sin embargo, este "don" está prohibido en las Escrituras: *"No juzguéis, para que no seáis juzgados"* (Mateo 7:1).

Un propósito del bautismo del Espíritu Santo es el destruir esta actitud crítica y reemplazarla con el dulce don de la apacible clemencia. El don del discernimiento de espíritus no es un don de encontrar faltas. Si aquellos que piensan que tienen ese don lo usaran para consigo mismos durante unos pocos minutos, ya no lo volverían a usar jamás. El don del discernimiento de espíritus no es el discernir del *carácter* o de *faltas.* No es el discernimiento de *personas.* Es el discernimiento de *espíritus.*

El cristiano debería andar en

amor, ya que el amor cubre multitud de pecados. Pablo dijo, *"Antes sed benignos unos con otros, misericordiosos, perdonándoos unos a otros, como Dios también os perdonó a vosotros en Cristo"* (Efesios 4:32).

El notable maestro bíblico inglés, Howard Carter, escribió en *Questions and Answers on Spiritual Gifts* (Preguntas y Respuestas sobre los dones Espirituales), "La palabra de ciencia le da a uno una revelación de cualquier cosa que pueda ser clasificada como existente o habiendo existido, así que el hecho de que un espíritu posea a un cuerpo podría ser revelado por este don, pero aquel que recibe esa información no tendría ninguna visión de dicho espíritu, no lo "discerniría." Por el discernimiento de espíritus vemos más allá de la esfera para la cuál hemos sido creados, ya que somos seres naturales. Es simplemente por la revelación del Espíritu Santo que podemos percibir los seres que viven en el mundo del espíritu."

Texto Para Memorizar:
"Pero a cada uno le es dada la manifestación del Espíritu para provecho" (1 Cor. 12:7).

LA LECCION EN ACCION: *"Pero sed hacedores de la Palabra, y no tan solamente oidores . . ."* (Santiago 1:22).

El Don de Fe (Parte 1)

Textos Bíblicos: Efesios 2:8; Romanos 12:3; Gálatas 5:22,23;
1 Corintios 12:9

Verdad Central: Aquellos que poseen el don de fe creen a Dios de tal
manera que El honra su palabra como la Suya propia,
y El milagrosamente la lleva a suceder.

Habiendo cubierto los tres dones de revelación — la palabra de sabiduría, la palabra de ciencia, y el discernimiento de espíritus — en lecciones anteriores, iremos ahora a los tres dones de poder.

Los dones de poder — aquellos que *hacen* algo — son: *el don de fe, el hacer milagros, y los dones de sanidades.* En esta lección trataremos con el primero de estos: el don de fe, o la fe especial. (Leer Primera de Corintios 12:4-12.)

Permitirme enfatizar que el don de fe, al igual que los otros dones del Espíritu, es sobrenatural; no es natural. Hay quienes dicen que algunos de los dones del Espíritu son naturales y otros sobrenaturales. Sin embargo, si *uno* es sobrenatural, entonces *todos* son sobrenaturales. ¡Yo creo que cada uno de los dones es una manifestación sobrenatural del Espíritu Santo! (Ver Primera de Corintios 12:11.)

El *don de fe* es el mayor de los tres dones de poder. Es un don del Espíritu para el creyente para que él pueda *recibir* milagros. El *hacer milagros* es un don del Espíritu dado al creyente para que el pueda *hacer* milagros. Un don *recibe*, y el otro

don *hace* algo. Un don es pasivo; recibe. El otro don es activo; obra. Nota que la Escritura dice, "*A otro, el HACER milagros ...*" (1 Cor. 12:10). Cuando uno *performa* un milagro, éso es el "hacer" un milagro. Pero cuando uno *recibe* un milagro, no lo "haces," y ése es el don de fe en operación.

Y también debemos recordar, que estos *dones de poder* están asociados muy estrechamente, tal y como los *dones de revelación* están estrechamente asociados, y los *dones de emisión* (profecía, diversas clases de lenguas, e interpretación de lenguas) están estrechamente asociados. De hecho, la Biblia nos dice claramente en Primera de Corintios que las lenguas con interpretación son equivalentes a la profecía. Nosotros diferenciamos entre estos dones y los enumeramos separadamente con el fin de poder difinirlos mejor.

Además, también hallamos que la fe, como la oración, amenudo es caso de confusión en las mentes de algunos. Tenemos la tendencia de poner todas las clases de fe en un mismo saco, mezclarlas, y sacudirlas todas juntas. Pero debemos diferenciar entre ellas.

Así, aprendemos que hay cuatro clases diferentes de fe:

1. *Fe para salvación*, la cual dirije a uno a la salvación.

2. *Fe general*, la cual posee todo creyente.

3. *El fruto de fe* — o fidelidad — el fruto del espíritu humano recreado, el cual viene después de la salvación.

4. *El don de fe* — o fe especial — una manifestación sobrenatural del Espíritu Santo, la cual es impartida después del bautismo del Espíritu Santo así como el Espíritu quiere.

Y como alguien dijo en cierta ocasión, a veces el mejor modo de averiguar lo que algo es, es averiguar lo que algo *no* es.

Fe Para Salvación

EFESIOS 2:8
8 Porque por gracia sois salvos por medio de la fe; y esto no de vosotros, pues es don de Dios.

La fe por medio de la cual somos salvos es un don de Dios. Nos es impartida a través de la Palabra: *"Así que la fe es por el oir, y el oir por la palabra de Dios"* (Romanos 10:17). Sin embargo, la clase de fe con la que trataremos en esta lección — el don de fe, o la fe especial — es diferente de la fe para salvación.

Fe General

ROMANOS 12:3
3 ... la media de fe que Dios repartió a cada uno.

Hay un tipo de fe — yo lo llamo *fe general* — que todos los creyentes poseen. Esta fe general puede aumentarse a medida que los cristianos se alimentan de la Palabra de Dios y la ejercitan en la arena de la vida. Todos podemos tener esta siempre creciente fe general. El *don de fe*, sin embargo, es uno de los nueve dones del Espíritu Santo, dados así como el Espíritu quiere.

Además, la fe general es la fe por la cual ordinariamente recibimos respuestas a la oración. Por ejemplo, recibimos el bautismo del Espíritu Santo *por fe;* y recibimos respuestas a la oración *por fe,* ya que Jesús dijo, "Por tanto, os digo que todo lo que pidiereis orando, CREED que lo RECIBIREIS, y os VENDRA" (Marcos 11:24).

Muchos de nosotros recibimos respuestas a la oración de fe — fe general — incluso antes de recibir el bautismo del Espíritu Santo. Estas respuestas vinieron porque creímos a Dios *por la fe,* pero eso no es lo mismo que el *don de fe* en operación.

De hecho, si el don de fe tuviera que estar en operación para poder recibir una respuesta a la oración, para recibir sanidad para el cuerpo, o para tener una necesidad material suplida, entonces nunca podríamos recibir oraciones contestadas hasta *después* de haber recibido el bautismo del Espíritu Santo, porque es entonces cuando esta clase de fe — el don de fe especial — es recibido. Pero incluso entonces, es solamente así como el Espíritu quiere.

Sin embargo, sabemos que muchos de nosotros sí que recibimos respuestas a la oración *por la fe* — la fe general — antes de haber recibido el bautismo del Espíritu Santo. Muchos de nosotros, por ejemplo, fuimos sanados basados en la fe en la Palabra de Dios *antes* de recibir el bautismo del Espíritu Santo. Ejercitamos la fe especial para recibir estas respuestas a la oración.

Y siguiendo esta misma línea de razonamiento, si se requiriera el don de fe — la fe especial — para recibir respuestas a la oración, entonces no todos — incluso aquellos llenos del Espíritu — podrían estar asegurados de recibir sus oraciones contestadas. ¿Por qué? Porque no todo creyente lleno del Espíritu es prometido este don de fe especial. Las Escrituras dicen, "Porque a ESTE es dada . . . palabra de ciencia . . . ; a OTRO FE por el mismo Espíritu . . ." (1 Cor. 12:8,9).

Con respecto a este don de fe, Pablo resume al final del capítulo, ". . . ¿hacen *TODOS milagros?*" (v. 29). No. "¿Tienen *TODOS dones de sanidad?*" (v. 30). La respuesta es no. Entonces podríamos añadir, "¿Tienen TODOS este DON DE FE?" La respuesta es nuevamente no.

Así que podemos ver que el don de fe no es lo mismo que la fe general la cual todo creyente tiene; ya que si tuviéramos que contar con el don de fe especial para recibir nuestras oraciones contestadas, entonces no todos podrían recibir respuestas a la oración.

El Fruto de Fe

GALATAS 5:22,23
22 Mas el fruto del Espíritu es amor, gozo, paz, paciencia, benignidad, bondad, fe,
23 mansedumbre, templanza; contra tales cosas no hay ley.

El *fruto de fe* también es diferente del don de fe. Leemos acerca del fruto del Espíritu (uno de los cuáles es la fe) en Gálatas 5:22,23, citado anteriormente. En el griego original, sin embargo, este fruto de fe no es llamado fe, sino "fidelidad."

Mientras que los *frutos* del espíritu son para el desarrollo del carácter del creyente, los *dones* del Espíritu son para producir poder en la vida del creyente.

El fruto es algo que crece. La fe — o fidelidad — es un fruto que *crece* en la vida de un cristiano para establecerle en carácter espiritual. Pero el don de fe especial es un *don* dado por el Espíritu de Dios, como el Espíritu quiere.

En cuanto al don de fe, la traducción de Weymouth dice, ". . . *a un tercer hombre, por el mismo Espíritu, fe especial*" (1 Cor. 12:9).

He oído a gente decir, "Bueno, si Dios me da *fe*, la tendré, y si no, no la tendré." Leen la escritura, ". . . *a otro* (es dado) *fe. . . .*" y piensan que ese es el modo de obtener "fe." Sin embargo, la fe a la que se refiere esta escritura es el don de fe, o fe especial.

El Don de Fe

1 CORINTIOS 12:9
9 A otro fe por el mismo Espíritu . . .

Así que vemos que el don de fe no es impartido a todos, sino solamente como el Espíritu de Dios quiere. También, es una manifestación sobrenatural del Espíritu Santo el recibir un milagro. Por el don de fe uno no hace un milagro, sino que pasivamente recibe un milagro.

El don de fe se distingue de las otras clases de fe en que con esta fe especial hay una manifestación de la evidencia de lo sobrenatural. Uno puede sobrenaturalmente, y en contra de todas las imposibilidades, creer a Dios por un milagro.

De los tres dones de poder — el don de fe, el hacer milagros, y los dones de sanidades — el don de fe es el mayor.

Y también hemos visto que el don de fe, o la fe especial, es aparte y distinta de la fe para salvación la cual le dirije a uno a la salvación, la fe general que todo creyente tiene, y el fruto de fe, el cual le desarrolla a uno en el carácter cristiano.

Veremos en el próximo capítulo, que por el don de fe uno es dado habilidad sobrenatural para recibir un milagro de Dios; sea para protección sobrenatural, sustento sobrenatural, el echar fuera espíritus inmundos, el resucitar de los muertos, o el conferir manifestaciones sobrenaturales, como en la imposición de manos para recibir el Espíritu Santo, o pronunciamientos de bendiciones.

Texto Para Memorizar:
"Porque a éste es dada por el Espíritu palabra de sabiduría . . . A otro, fe por el mismo Espíritu . . ." (1 Cor. 12:8,9).

LA LECCION EN ACCION: *"Pero sed hacedores de la Palabra, y no tan solamente oidores . . ."* (Santiago 1:22).

Lección 21

El Don de Fe (Parte 2)

Textos Bíblicos: Daniel 6:16,17,19-23; 1 Reyes 17:2-6; Gálatas 3:5
Verdad Central: El don de fe es una dotación sobrenatural por el Espíritu Santo por el cual aquello que es expresado o deseado por el hombre, o dicho por Dios, llegará definitivamente a suceder.

El don de fe es distinto al don de hacer milagros, aunque ambos dones producen milagros. El don de hacer milagros es *activo*, mientras que el don de fe es *pasivo*. No hace nada; recibe pasivamente. En otras palabras, la diferencia entre el don de hacer milagros y el don de fe es que uno *hace*, y el otro *recibe*.

El don de fe es una dotación sobrenatural por el Espíritu por la cuál aquello que es expresado o deseado por el hombre, o dicho por Dios, llegará definitivamente a suceder. La emisión humana o divina o milagro, seguridad, maldición o bendición, creación o destrucción, eliminación o alteración, llegarán a suceder al fin, cuando han sido pro-clamados por este don de fe.

El hacer milagros es más una acción, y el don de fe es más un proceso. El don de hacer milagros *performa* un milagro, mientras que el don de fe *recibe* un milagro. Esto es porque el hacer milagros emplea la fe que activamente *obra* un milagro, pero el don de fe emplea fe que pasivamente *espera* un milagro como un contínuo y sostenido milagro. También, cuando el don de fe está en operación, el milagro por el que se

cree puede que no se manifieste inmediatamente. Puede que se manifieste a través de un largo período de tiempo.

El Don de Fe Para Bendiciones Sobrenaturales

El don de fe fue usado por los patriarcas de la antigüedad para dar bendiciones sobrenaturales o el cumplimiento de pronunciaciones humanas. Cuando estos patriarcas estaban a punto de morirse, imponían las manos sobre sus hijos y ordenaban bendiciones sobre ellos. Amenudo estas bendiciones no llegaban a suceder hasta muchos años después. Vemos esto en las vidas de Abraham, Isaac, y José. Estos patriarcas creyeron que sus pronunciaciones llegarían a suceder a la hora señalada en el futuro. Esto era el don de fe en operación.

El Don de Fe Para la Protección Personal

DANIEL 6:16,17,19-23
16 Entonces el rey mandó, y trajeron a Daniel, y le echaron en el foso de los leones. Y el rey dijo a Daniel: El Dios

84

tuyo, a quien tú continuamente sirves, él te libre.

17 Y fue traída una piedra y puesta sobre la puerta del foso, la cual selló el rey con su anillo y con el anillo de sus príncipes, para que el acuerdo acerca de Daniel no se alterase.

19 El rey, pues, se levantó muy de mañana, y fue apresuradamente al foso de los leones.

20 Y acercándose al foso llamó a voces a Daniel con voz triste, y le dijo: Daniel, siervo del Dios viviente, el Dios tuyo, a quien tú continuamente sirves, ¿te ha podido librar de los leones?

21 Entonces Daniel respondió al rey: Oh rey, vive para siempre.

22 Mi Dios envió su ángel, el cual cerró la boca de los leones, para que no me hiciesen daño, porque ante él fui hallado inocente; y aun delante de ti, oh rey, yo no he hecho nada malo.

23 Entonces se alegró el rey en gran manera a causa de él, y mandó sacar a Daniel del foso; y fue Daniel sacado del foso, y ninguna lesión se halló en él, porque había confiado en su Dios.

Daniel recibió un milagro mientras estaba en el foso de los leones. En aquellos tiempos, y a través de la historia, muchos otros habían sido echados a los leones — y fueron matados. ¿Por qué no dañaron a Daniel esos leones?

La Biblia dice que Daniel "creyó en su Dios." No hay duda de que Dios le dio a Daniel una fe especial — una manifestación especial — para recibir liberación. Daniel no hizo nada: El simplemente se acostó y se durmió. Nota que la fe de Daniel era pasiva y no activa, pero él recibió un milagro. Esto era el don de fe en operación.

De la misma manera, Jesús ejercitó el don de fe delante de gran peligro. Durante una tormenta rugiente Jesús durmió en una almohada en la parte trasera de la barca. Esto era el don de fe en operación el cual pasivamente espera un milagro.

Alguien podría argumentar, "Sí, pero eso era Jesús. El era el Hijo de Dios."

El Espíritu Santo vino sobre Jesús y le ungió cuando fue bautizado por Juan en el Río Jordán. Jesús era tan Hijo de Dios antes de que el Espíritu Santo descendiera sobre El que después. Sin embargo la Biblia nos dice que El nunca había hecho ningún milagro antes de Su bautismo (Juan 2:11). Después, Jesús ministró como cualquier hombre ungido por el Espíritu Santo ministraría.

Si Jesús hubiese hecho milagros por un poder INHERENTE dentro de Sí mismo como el Hijo de Dios, ¡entonces El no nos podría haber dicho que nosotros haríamos las obras que El hizo! Mas Jesús claramente dijo, *"De cierto, de cierto os digo: El que en mí cree, las obras que yo hago, él las hará también ..."* (Juan 14:12). Sin embargo, si Jesús hizo estas obras como un hombre ungido por el Espíritu Santo, entonces ciertamente bajo la inspiración y la unción del Espíritu Santo, ¡los creyentes pueden hacer lo mismo!

Mientras la tormenta soplaba sobre la mar, Jesús dormía. A El no le molestaba la tormenta. Mientras leones hambrientos andaban alrededor de Daniel, él se acostó y durmió enfrente de aquel peligro. A través de la Biblia, vemos tales instancias donde el don de fe obró para individuos enfrentados a grandes peligros. Ellos poseían tal calma que era sobrenatural; y por tal fe sobrenatural recibieron un milagro.

El Don de Fe Para el Sustento Sobrenatural

1 REYES 17:2-6
2 Y vino a él palabra de Jehová, diciendo:
3 Apártate de aquí, y vuélvete al oriente, y escóndete en el arroyo de Querit, que está frente al Jordán.
4 Beberás del arroyo; y yo he mandado a los cuervos que te den allí de comer.
5 Y él fue e hizo conforme a la palabra de Jehová; pues se fue y vivió junto al arroyo de Querit, que está frente al Jordán.
6 Y los cuervos le traían pan y carne por la mañana, y pan y carne por la tarde; y bebía del arroyo.

Aquí vemos una ocasión donde el don de fe fue usado para el sustento sobrenatural en un tiempo de hambre. La fe de Elías tenía que haber sido dada sobrenaturalmente por Dios, ya que era más allá del razonamiento humano el esperar que cuervos alimentaran a un humano. Sin embargo, los cuervos trajeron alimentos a Elías por la mañana y por la tarde. Y por esa fe sobrenatural, Elías pasivamente recibió un milagro.

El Don de Fe Para la Resurrección de los Muertos

Como hemos mencionado anteriormente, los dones del Espíritu amenudo operan unidos. En el caso de la resurrección de los muertos, tres dones operan juntamente — el don de fe, el hacer milagros, y los dones de sanidades. Esta es una razón por la cual no vemos a mucha gente resucitar de los muertos. Algunos cristianos pueden tener uno o más de esos dones en operación en sus vidas, pero no demasiados los tienen *todos* en operación.

Primero que nada, en la resurrección de los muertos se necesita una fe sobrenatural — el don de fe — para llamar de vuelta al espíritu de la persona cuando ha salido del cuerpo. Se requiere el hacer milagros para resucitar a la persona, y los dones de sanidades; de otro modo, si la persona no es sanada, se moriría inmediatamente otra vez. Por lo tanto, *los tres dones de poder se encuentran en manifestación cuando alguien es resucitado de los muertos.*

De acuerdo con Albert Hibbert, tantos como catorce personas fueron resucitadas de los muertos durante el ministerio de Smith Wigglesworth.

El primer caso ocurrió mientras Wigglesworth aun estaba trabajando como plomero. (El ya había recibido el bautismo del Espíritu Santo entonces, pero aun no había entrado en el ministerio activo de por sí.)

Una noche fue llamado a la casa de una mujer joven que se estaba muriendo de tuberculosis. Wigglesworth empezó a orar por ella a la 1 en punto. A las 3:30 de la madru-

86

gada se murió.

"Fue una ocasión en la que yo no iba a recibir un 'no,' y Dios dijo 'sí,' " recordó Wigglesworth. La cara de Jesús apareció en la ventana de la habitación donde Wigglesworth estaba orando. El color volvió a la cara de la muchacha. Ella se dió la vuelta, se durmió, y más tarde se despertó totalmente curada.

Otro caso tuvo que ver con un vecino que se había muerto justamente antes de que Wigglesworth llegara a la casa de este hombre. La señora Wigglesworth ya estaba allí. Al empezar Wigglesworth a orar por el hombre muerto, la señora Wigglesworth sacudió a su marido, suplicando, "¡No, Papá! ¿No ves que está muerto?" Pero Wigglesworth continuó orando.

"Llegué tan lejos como pude con mi propia fe . . ." dijo Wigglesworth, "y luego Dios se agarró de mí. Oh, fue de tal manera que se agarró de mí que podía creer por cualquier cosa. La fe del Señor Jesús se asió de mí y una paz sólida vino a mi corazón." ¡El hombre volvió a vivir!

Un tercer caso que Wigglesworth contó, fué el de una mujer que se murió inmediatamente después de que Wigglesworth y otro hombre oraran por élla. "Podrías pensar que lo que hice fue absurdo," dijo Wigglesworth, "pero me acerqué a la cama y la saqué de élla. La llevé al otro lado de la habitación, la puse en pie en contra de la pared y la mantuve en pie."

Wigglesworth ordenó al cadáver, "¡En el Nombre de Jesús, reprendo esta muerte!" El cuerpo de la mujer empezó a temblar. "¡En el Nombre de Jesús, te mando que andes!" dijo él y la mujer anduvo. ¡Ella fue restaurada a la vida!

Esto está por encima de la fe ordinaria de cualquiera. Con la fe ordinaria podríamos sacar a una persona muerta de la cama como Wigglesworth hizo, y decirle al cadáver que andara. Pero con la fe ordinaria no creo que el cadáver fuera a andar. Se requiere una manifestación sobrenatural del poder de Dios para recibir un milagro como este.

Muchas veces si tomamos un paso de fe — fe ordinaria — la fe que todo creyente tiene, cuando llegamos al final de nuestra propia fe, esta fe *sobrenatural* tomará posesión. La razón por la que esto no ha sucedido a mucha gente es porque no han usado la fe que ya tienen.

El Don de Fe Para Echar Fuera a Espíritus Inmundos

El don de fe puede ser usado en ocasiones, para echar fuera espíritus inmundos de aquellos cuyos cuerpos han sido corrompidos por ellos. Aquí también, más de un don debe estar en operación. El don de discernimiento de espíritus y/o la palabra de ciencia serán manifestados además del don de fe. Si uno no discierne o "vé" al espíritu, amenudo el espíritu es revelado a través de la palabra de ciencia. Pero el don de fe aún debe ser ejercitado para echar fuera el espíritu inmundo. Desde luego, sabemos por Marcos 16:17 que la fe general también es eficaz para echar fuera espíritus inmundos.

El Don de Fe Para Ministrar el Espíritu Santo

GALATAS 3:5
5 Aquel, pues, que os suministra el Espíritu, y hace maravillas entre vosotros, ¿lo hace por las obras de la ley, o por el oir con fe?

Este don de fe se pone en acción al imponer las manos para que la gente sea llena del Espíritu Santo.

Cualquier creyente puede imponer las manos sobre la gente en *fe general*, y apropiarse de las promesas de Dios, y creer a Dios. Pero hay una diferencia entre el creer a Dios con fe general y apropiarse de Sus promesas, y aquella *manifestación sobrenatural* que es transmitida de un individuo a otro a través del don de la fe especial.

Ahora bien, es posible, en fe general, el imponer las manos en una persona para sanidad o para cualquier otra bendición; y aunque nada pueda ser *perceptiblemente* manifestada, si es recibida, es aun con todo una demostración del poder de Dios.

Sin embargo, si cuando una persona impone las manos sobre otra y se es ministrada a través de ellos sanidad, o la plenitud del Espíritu Santo por *manifestación sobrenatural*, entonces eso es el don de la fe especial en operación.

Así que Dios obra en ambos modos: por nuestra fe general apropiando las promesas de Dios y recibiendo Su poder de ese modo; y, por otra parte, por una manifestación sobrenatural de Dios ministrada de una persona a otra — lo cual es el don de fe en operación.

Texto Para Memorizar:
"Porque a éste es dada por el Espíritu palabra de sabiduría; . . . a otro, fe por el mismo espíritu . . ." (1 Cor. 12:8,9).

LA LECCION EN ACCION: *"Pero sed hacedores de la Palabra, y no tan solamente oidores..."* (Santiago 1:22).

El Don de Hacer Milagros

Textos Bíblicos: 2 Reyes 2:9-14; 1 Reyes 17:12-16; Hechos 5:1-5
Verdad Central: Un milagro es una intervención sobrenatural en el curso ordinario de la naturaleza; una suspensión temporaria del orden acostumbrado a través del Espíritu de Dios.

En nuestros estudios sobre los dones del Espíritu llegamos ahora al don de *hacer milagros*. Primero que nada, definamos "el hacer milagros." Como con muchas palabras en el lenguaje español, cuando usamos la palabra "milagro," significa una cosa hablando con generalidad, pero usada específicamente significa algo diferente.

A veces la palabra "milagro" es usada en sentido figurativo, como metáfora. Hablamos de "telas milagrosas," de "medicinas milagrosas," y de "detergentes milagrosos."

En la naturaleza vemos un amanecer maravilloso y decimos, "Es un milagro." Podemos mirar a un hermoso jardín de rosas en fuego con gloriosos colores, el perfume de las flores ascendiendo a los cielos, y decir que eso es un "milagro" de la naturaleza. Ninguna de esas cosas son un milagro específicamente hablando, pero hablando en general sí lo son. En el suntuoso amanecer, el sol está haciendo exactamente lo que debería hacer de acuerdo a las leyes de la naturaleza. La rosa está haciendo exactamente lo que fue creada para hacer de acuerdo con las leyes de la naturaleza.

Cada uno de los dones del Espíritu es milagroso. Son sobrenaturales. En el uso general de la palabra "milagro," todos los dones del Espíritu son milagros. Pero específicamente hablando, no lo son. El hacer milagros, entonces, es un hecho específico, como por ejemplo cuando Eliseo dividió el río cuando lo golpeó con su manto.

Después de que Elías ascendió a los cielos en el carro en un torbellino, Eliseo recibió su manto y golpeó el Rio Jordán con él. El dividir las aguas por el toque de su manto fue en realidad un milagro — una intervención en el curso ordinario de la naturaleza.

2 REYES 2:9-14

9 Cuando habían pasado, Elías dijo a Eliseo: Pide lo que quieras que haga por ti, antes que yo sea quitado de ti. Y dijo Eliseo: Te ruego que una doble proción de tu espíritu sea sobre mí.
10 El le dijo: Cosa difícil has pedido. Si me vieres cuando fuere quitado de ti, te será hecho así; mas si no, no.
11 Y aconteció que yendo ellos y hablando, he aquí un carro de fuego con caballos de fuego apartó a los dos; y Elías subió al cielo en un torbellino.
12 Viéndolo Eliseo, clamaba: ¡Padre mío, padre mío, carro de Israel y su

gente de a caballo! Y nunca más le vio; y tomando sus vestidos, los rompió en dos partes,

13 Alzó luego el manto de Elías que se le había caído, y volvió, y se paró a la orilla del Jordán.

14 Y tomando el manto de Elías que se le había caído, golpeó las aguas, y dijo: ¿Donde está Jehová, el Dios de Elías? Y así que hubo golpeado del mismo modo las aguas, se apartaron a uno y a otro lado, y pasó Eliseo.

En el ámbito de la sanidad, milagros son recibidos amenudo, pero no son el resultado del hacer milagros; son milagros de sanidad. Todo lo que Dios hace es milagroso en cierto sentido, pero no es un milagro como en el caso de volver agua en vino sólo por el decir una palabra — eso es el hacer milagros.

Agua convertida en vino por el proceso de la naturaleza es un milagro natural. Pero agua convertida en vino por el decir una palabra, como Jesús hizo en Juan 2:1-11, es el resultado del don espiritual del hacer milagros.

Un milagro, por tanto, es una intervención sobrenatural en el curso ordinario de la naturaleza, una suspensión temporaria del orden acostumbrado, una interrupción del sistema de la naturaleza como la conocemos nosotros, operado por la fuerza del Espíritu de Dios.

El Hacer Milagros en el Antiguo Testamento

El hacer milagros fue más prominente en el Antiguo Testamento que en el Nuevo Testamento. Aunque la gente fue sanada y los dones de sanidades estaban en operación en el Antiguo Testamento, los dones de sanidades fueron más predominantes en el Nuevo Testamento.

El hacer milagros fue usado para la liberación milagrosa del pueblo de Dios del cautiverio de Egipto. Vemos este don usado cuando Dios convenció a Faraón a que dejara ir a Israel. Un número de milagros fueron hechos entonces.

Cuando Aarón echó su vara al suelo y se volvió en serpiente (Ex. 7:10), éso fue el hacer un milagro. Cuando el polvo se volvió en insectos (Ex. 8:19), y las otras plagas que siguieron, ésto fue el don de hacer milagros en operación.

Al salir de Egipto, los israelitas se enfrentaron al Mar Rojo con el Faraón y sus ejércitos acercándose a ellos, listos a hacerles sus esclavos nuevamente. Montañas aparecían a un lado, el desierto al otro lado, el mar enfrente de ellos, y el enemigo por detrás de ellos — su situación parecía desesperada. Pero Moisés miró al Señor, y el Señor le dijo que estirara su vara. Moisés obedeció, y el mar se dividió. Aquello fue el hacer un milagro — la intervención divina en el curso ordinario de la naturaleza.

De hecho, dos dones del Espíritu Santo estuvieron en operación en esta ocasión. El hacer milagros dividió la mar, ¡pero fue el don de fe el que lo mantuvo dividido! Esto fue un milagro contínuo. La gente anduvo sobre tierra seca al otro lado. Cuando el enemigo trató de hacer lo mismo, las aguas se juntaron y los egipcios se ahogaron.

Otro uso en las escrituras del hacer milagros fue para proveer para aquellos en necesidad.

1 REYES 17:12-16

12 Y ella respondió: Vive Jehová tu Dios, que no tengo pan cocido; solamente un puñado de harina tengo en la tinaja, y un poco de aceite en una vasija, y ahora recogía dos leños, para entrar y preparlo para mí y para mi hijo, para que lo comamos, y nos dejemos morir.
13 Elías le dijo: No tengas temor; vé, haz como has dicho; pero hazme a mí primero de ello una pequeña torta cocida debajo de la ceniza, y tráemela; y después harás para ti y para tu hijo.
14 Porque Jehová Dios de Israel ha dicho así: La harina de la tinaja no escaseará, ni el aceite de la vasija disminuirá, hasta el día en que Jehová haga llover sobre la faz de la tierra.
15 Entonces ella fue e hizo como le dijo Elías; y comió él, y ella, y su casa, muchos días.
16 Y la harina de la tinaja no escaseó, ni el aceite de la vasija menguó, conforme a la palabra que Jehová había dicho por Elías.

También fue el hacer milagros en el ministerio de Eliseo cuando la vasija de aceite de una viuda continuó fluyendo hasta que hubo llenado todas las vasijas que tenía. Ella entonces fue y pidió otras vasijas de sus vecinos y las llenó también con aceite. (*Ver* Segunda de Reyes 4:1-7.)

El Hacer Milagros en el Nuevo Testamento

Vemos el hacer milagros en manifestación cuando Jesús tomó la comida de un pequeño muchacho, dio de comer a cinco mil con ella — y luego recogió doce canastas de la comida que había sobrado después de que todos hubieran comido (Juan 6:5-15).

El hacer milagros también fue usado para ejecutar juicio divino en el Nuevo Testamento.

HECHOS 5:1-5

1 Pero cierto hombre llamado Ananías, con Safira su mujer, vendió una heredad,
2 y sustrajo del precio, sabiéndolo también su mujer; y trayendo sólo una parte, la puso a los pies de los apóstoles.
3 Y dijo Pedro: Ananías, ¿por qué llenó Satanás tu corazón para que mintieses al Espíritu Santo, y sustrajeses del precio de la heredad?
4 Reteniéndola, ¿no se te quedaba a ti? y vendida, ¿no estaba en tu poder? ¿Por qué pusiste esto en tu corazón? No has mentido a los hombres, sino a Dios.
5 Al oir Ananías estas palabras, cayó y expiró. Y vino un gran temor sobre todos los que lo oyeron.

Los cristianos en la iglesia primitiva lo tenían todo en común: Vendían todas sus posesiones y traían el dinero a los apóstoles. Dios no les dijo que lo hicieran. Evidentemente tuvieron la dirección del Espíritu para hacer esto, y demostró ser un paso sabio, porque en pocos años la ciudad fue ocupada por los romanos y hubieran perdido todo lo que poseían de todas formas.

Cuando Ananías y Safira vendieron su heredad, sustrajeron parte del dinero que habían recibido. Hubiera estado perfectamente bien el haber dicho, "Esta es la mitad del dinero." (Dios no les obligó a darlo todo.) Pero ellos mintieron al respecto.

Pedro supo, a través del don de la palabra de ciencia, cuánto Ananías había sustraído. El dijo, *"Por qué llenó Satanás tu corazón para que mintieses al Espíritu Santo?"* Entonces Ananías cayó muerto — un resultado del juicio divino a través del hacer milagros. Cuando Safira vino más tarde, sin saber que su marido estaba muerto, repitió la mentira, y ella también cayó muerta. El hacer milagros fue usado otra vez para ejecutar la disciplina divina.

El hacer milagros también fue usado para confirmar la Palabra que fue predicada. Cuando Pablo estaba predicando en Chipre. Elimas, el mago se le resistió. Pablo, a través del poder de Dios en la operación del don de hacer milagros, le hizo ciego por algún tiempo, y esto fue una señal para otros (Hechos 13:4-12).

Este don también fue usado para liberar a la gente de un peligro inevitable. El don de fe conducirá a una persona a través del peligro sin que la persona sufra ningún daño, pero el hacer milagros es diferente: De hecho cambiará las circunstancias que causan el peligro.

Por ejemplo, cuando Pablo naufragó, la tormenta no cesó hasta que se apagó a si misma (Hechos 27). Pablo no se puso en pie y dijo, "¡Tormenta, cesa ahora mismo!"

Pero ya que Dios le había hablado, él tuvo una fe sobrenatural para creer por la protección divina. Esto era el don de fe en operación, y él recibió seguridad para todos, aunque la nave fue perdida.

Sin embargo, cuando Jesús se puso en pie en aquella barca durante una tormenta en el Mar de Galilea y dijo, "Calla, enmudece" (Marcos 4:39), aquello obró un milagro. Aquello cambió la misma circunstancia que causó el peligro.

La diferencia entre el don de fe y el hacer milagros es que el don de fe RECIBE un milagro y el hacer milagros OBRA un milagro.

El hacer milagros es usado para demostrar el poder de Dios y Su magnificencia. En la *Analytical Concordance to the Bible* (Concordancia Analítica de la Biblia) de Young, la palabra griega usada para "milagros" es "poderes." En otras palabras, el hacer milagros es llamado "el obrar poderes." La palabra griega, de acuerdo con la concordancia griega, significa, "explosiones de omnipotencia." Significa impulsantes, asombrosas maravillas y admiraciones. En otras palabras, el griego podría leer, "el obrar de impulsantes, asombrosas maravillas y admiraciones, o la demostración de explosiones de omnipotencia."

En su libro, *Questions and Answers on Spiritual Gifts* (Preguntas y Respuestas sobre los Dones Espirituales), Howard Carter dijo, "... el hacer milagros es una muy importante manifestación del Espíritu. Es el potente poder de Dios fluyendo a través de una persona."

92

Podríamos decir que el indiviuo participa en el mismo poder de Dios que fue manifestado cuando Dios creó el mundo, porque El por cierto obró un milagro cuando habló la tierra en existencia.

Cuando el Señor permite que un individuo, a través del poder del Espíritu, hable la palabra y el río se divida — el mismo Dios que creó esas aguas deja que una poca de esa omnipotencia, así como el Espíritu quiera, sea manifestada en aquella persona.

Este hacer milagros es en verdad un don poderoso, glorificando al "Dios de todo poder" como dijo Howard Carter, así estimulando la fe de su pueblo, y asombrando y confundiendo la incredulidad del mundo.

Texto Para Memorizar:
"Porque a éste es dado por el Espíritu ... el hacer milagros ..." (1 Cor. 12:8,10).

LA LECCION EN ACCION: *"Pero sed hacedores de la Palabra, y no tan solamente oidores..."* (Santiago 1:22).

Los Dones de Sanidades

Textos Bíblicos: Hechos 10:38; 1 Corintios 12:28-30

Verdad Central: El propósito de los dones de sanidades es el liberar al enfermo y destruir las obras del diablo en el cuerpo humano.

Los *dones de sanidades* son dados por Dios para la sanidad sobrenatural de dolencias sin medios naturales de ningún origen. Jesús puso la sanidad en prominencia por Su propio ministerio. El también dio autoridad a Sus discípulos para sanar a los enfermos (Mateo 10:8).

Queremos enfatizar el carácter sobrenatural de todos los dones del Espíritu, incluyendo los dones de sanidades. Estos dones no tienen nada que ver con la ciencia médica o el aprendizaje humano.

Lucas, el médico amado, estuvo con Pablo en muchos de sus viajes misioneros. Lucas escribió los Hechos de los Apóstoles así como el Evangelio que lleva su nombre. El estuvo con Pablo cuando naufragaron en la Isla de Malta (Hechos 28). Sin embargo nada es mencionado acerca de que Lucas ministrara a las gentes con su conocimiento *médico*. De hecho, Lucas escribe que el padre del hombre principal de la isla estaba enfermo, y Pablo puso las manos sobre él, y fue sanado — por el poder sobrenatural. Entonces la gente trajeron a los enfermos que había en la isla para que Pablo les ministrara, y fueron sanados.

Claro que creemos en la ciencia médica, y damos gracias a Dios por lo que pueden hacer. Desdeluego que no estamos opuestos a los doctores. Pero algunos confunden la ciencia médica con los dones de sanidades.

Si la ciencia médica fuera el método de Dios para sanar, estaría libre de errores.

Damos gracias a Dios por la ciencia médica y por lo que los buenos doctores y los hospitales pueden hacer. No nos atreveríamos a hablar negativamente de ellos ni de los grandes descubrimientos hechos por la tecnología médica moderna. También damos gracias a Dios por los muchos doctores cristianos que se interesan sinceramente por sus pacientes y hábilmente los ministran. Pero la sanidad sobrenatural no viene por diagnosis o por el recetar un tratamiento; viene por el poner las manos, el ungir con aceite, o a veces sólo por el hablar la Palabra. Yo creo en la sanidad natural y gracias a Dios por ello. Pero también creo en la sanidad sobrenatural.

El Ministerio de Sanidad de Jesús

HECHOS 10:38

38 Cómo Dios ungió con el Espíritu

Santo y con poder a Jesús de Nazaret, y cómo éste anduvo haciendo bienes y sanando a todos los oprimidos por el diablo, porque Dios estaba con él.

Jesús ministraba no como el Hijo de Dios, sino como un profeta ungido por el Espíritu Santo. Jesús era tan Hijo de Dios cuando tenía 24 años de edad como cuando tenía 30 años de edad. Sin embargo a la edad de 25, El no había sanado a nadie, y ni un sólo milagro de sanidad había sido hecho bajo su ministerio. El era tan Hijo de Dios a los 29 que a los 30; pero durante todo el año en el que tuvo veinte nueve años de edad, nadie fue sanado, ni había hecho ningún milagro de sanidad.

Cuando Jesús tenía 30 años — incluso el día antes de ser bautizado por Juan en el Río Jordán y de que el Espíritu Santo descendiera sobre El para ungirle para ministrar — Jesús era tan Hijo de Dios entonces como lo fue más tarde. Sin embargo hasta que éso sucedió, El no había sanado a nadie. No hubo ninguna manifestación de poder operando en Su vida.

Fue solamente después de que el Espíritu Santo descendiera sobre Jesús en forma de paloma para ungirle para ministrar que estas cosas comenzaron a suceder. De hecho, Jesús mismo nunca reclamó el hacer las obras. El dijo, *". . . el Padre que mora en mí, él hace las obras . . ."* (Juan 14:10).

Jesús se puso en pie y leyó en la sinagoga de donde se había criado, *"El Espíritu del Señor está sobre mí, por cuanto me ha ungido . . ."* (Lucas 4:18). Años después, Pedro, predi-cando a Cornelio y a su casa, dijo, *"Cómo Dios ungió a Jesús de Nazaret con el Espíritu Santo y con poder . . ."* (Hechos 10:38).

Aunque Jesús siempre fue el Hijo de Dios, El nunca sanó a nadie hasta *después* de ser ungido con el Espíritu Santo y poder.

Esto debería probar conclusiva-mente que El no sanaba por algún poder que le era inherente como el Hijo de Dios, la Segunda Persona de la Trinidad, sino que él sanaba a los enfermos tal y como cualquier cre-yente debería ministrar a los enfermos hoy en día — por la unción del Espíritu a través de la manifes-tación de los dones de sanidades.

El Espíritu Sin Medida en el Ministerio de Jesús

La Biblia nos dice que Cristo tenía el Espíritu sin medida. *". . . el que Dios envió, las palabras de Dios habla; pues Dios no da el Espíritu por medida"* (Juan 3:34). Por tanto, veríamos manifestaciones de ciertas cosas en Su ministerio que no verí-amos en nadie más porque El tenía el Espíritu sin medida; ningún otro individuo lo tiene. Sin embargo, me parece a mí que este texto infiere que el entero Cuerpo de Cristo — colec-tivamente — tiene la misma medida del Espíritu que Jesús tenía. Como consecuencia, un individuo no ten-dría la misma medida de éxito en ministrar incluso en los dones del Espíritu que Jesús tenía, ya que El tenía el Espíritu sin medida. Y teniendo el Espíritu sin medida, Jesús tenía la manifestación de todos estos dones de sanidades.

1 CORINTIOS 12:28-30

28 Y a unos puso Dios en la iglesia, primeramente apóstoles, luego profetas, lo tercero maestros, luego los que hacen milagros, después los que sanan, los que ayudan, los que administran, los que tienen don de lenguas.
29 ¿Son todos apóstoles? ¿son todos profetas? ¿todos maestros? ¿hacen todos milagros?
30 ¿Tienen todos dones de sanidad? ¿hablan todos lenguas? ¿interpretan todos?

Nota que en el versículo veintiocho, las dos palabras "dones" y "sanidades" están en plural. Nota, también, que este es el único de los dones del Espíritu que está en plural. Todos los demás se refieren a un solo don.

¿Por qué son "dones de sanidades" y no el "don de sanidad"? No lo sé en realidad, pero tengo una opinión. No creo que ninguno de nosotros lo pueda saber con toda certidumbre, ya que las Escrituras no lo dicen específicamente, pero yo creo que hay dones de sanidades porque hay diferentes clases de dolencias — y un don no podría sanar todas las clases.

He notado en mi propio ministerio, así como en los ministerios de otros, que donde estos dones están en operación, hay un mayor grado de éxito en algunas áreas de sanidad que en otras áreas. Y otros ministros me dicen que hay ciertas clases de dolencias que raramente son sanadas en sus ministerios, sin embargo ciertas otras dolencias son casi siempre sanadas. "¿Por qué?" No lo sé. Quizás con el transcurso del tiempo sabremos más acerca de esto, ya que estamos aquí para estudiar y aprender.

En el ministerio de Jesús, toda clase de enfermedad y toda manera de dolencia era sanada. Todos los dones de sanidades estaban en manifestación, ya que Jesús tenía el Espíritu "sin medida."

Dos Manifestaciones de Sanidades Diferentes

Hay una marcada diferencia entre la manifestación de los dones de sanidades y el simple recibir la sanidad por nuestra propia fe en la Palabra de Dios. Dios me ha enseñado a través de los años la diferencia entre las dos.

Cuando recibí la sanidad en mi cuerpo, nadie me impuso las manos. Ni siquiera sabía si había alguna iglesia que creyera en la sanidad divina. Pero como un muchacho bautista en el lecho de enfermedad, leí la Biblia de mi abuela metodista y fui sanado — no sólo porque creí en la sanidad divina necesariamente; pero fui sanado porque actué y me mantuve firme en Marcos 11:24, "...lo que pidiereis orando, creed que lo recibiréis, y os vendrá."

Así que oré y empecé a decir, "Creo que recibo sanidad para mi corazón deformado. Creo que recibo sanidad para mi cuerpo paralizado. Creo que recibo sanidad desde la punta de mi cabeza hasta la planta de mis pies." Entonces el poder sanador de Dios se manifestó en mi cuerpo.

Mi sanidad vino directamente de Dios. Los dones de sanidades se manifiestan en ti a través de otra persona. Toda la sanidad es hecha por Dios, desdeluego, pero la diferencia está en el canal que El usa para llevar a cabo tu sanidad.

Alguien ha dicho que en cualquier momento en el que alguien recibe sanidad, son los dones de sanidades en operación. Todo es un don, en un sentido de la palabra, ya que todo lo que recibimos de Dios es un don, hablando generalmente. Pero no tendría que necesariamente ser sanidad como resultado de estos dones en manifestación.

Mira otra vez en Primera de Corintios 12:28. *"Y a unos puso Dios en la iglesia...."* Aquí no se está refiriendo a los dones espirituales; Se está refiriendo a hombres *equipados con* dones espirituales: *"A unos puso Dios en la iglesia, primeramente apóstoles...."* "Apóstoles" no es un don espiritual individual que alguien pueda recibir de Dios. Es un don *ministerial* para la Iglesia. *"... luego profetas..."*

Este también es un ministerio, no para bendecir al individuo, pero un ministerio dado a la Iglesia. *"... lo tercero maestros..."* El don de enseñanza no es algo que te es dado para bendecirte a ti. Es algo que te es dado para capacitarte a bendecir a otros. Este, también, es un ministerio.

Pablo continuó hablando acerca de hacer milagros. Estaba diciendo

que hay algunos en el ministerio que son equipados con el hacer *milagros* y *"... después los que sanan..."*

Luego Pablo hace la pregunta, *"¿Son todos apóstoles?* (¿Tienen todos el ministerio de un apóstol? Claro que no.) *¿son todos profetas?* (¿Tienen todos el ministerio de un profeta? No.) *¿todos maestros?"* No, no todos tienen el ministerio de un maestro. Todos podríamos enseñar de acuerdo con nuestro nivel de conocimiento, pero hay aquellos quienes Dios ha puesto en la Iglesia quienes son equipados por el Espíritu Santo con el don de enseñanza.

Luego Pablo preguntó, *"¿Hacen todos milagros? ¿tienen todos dones de sanidad? ¿Hablan todos en lenguas? ¿interpretan todos?"* Claramente, la respuesta es no, ya que el Espíritu reparte *"a cada uno en particular como él quiere."* (1 Cor. 12:11).

Gracias a Dios por Su Palabra, y por el privilegio de creer y actuar sobre Su Palabra. Gracias a Dios por la manifestación sobrenatural de todos estos dones de acuerdo con Su voluntad.

Texto Para Memorizar:

"Cómo Dios ungió con el Espíritu Santo y con poder a Jesús de Nazaret, y cómo éste anduvo haciendo bienes y sanando a todos los oprimidos por el diablo, porque Dios estaba con él." (Hechos 10:38).

LA LECCION EN ACCION: *"Pero sed hacedores de la Palabra, y no tan solamente oidores..."* (Santiago 1:22).

El Don de Profecía

Textos Bíblicos: 1 Corintios 14:1-5; Hechos 21:8-11;
1 Tesalonicenses 5:19-21

Verdad Central: La profecía es una emisión sobrenatural en una lengua conocida.

La *profecía* es el más importante de los tres dones de inspiración o emisión. La razón por la que es el más importante es porque se requieren los otros dos — diversos géneros de lenguas e interpretación de lenguas — para igualar a la profecía.

Pablo dijo, "... *mayor es el que profetiza que el que habla en lenguas, a no ser que las interprete* ..." (1 Cor. 14:5), implicando que el hablar en lenguas e interpretar es equivalente a la profecía. Por tanto, la profecía es en realidad el más importante de estos tres dones de inspiración o emisión.

La profecía es una emisión sobrenatural en una lengua conocida. Los diversos géneros de lenguas es una emisión sobrenatural en una lengua desconocida. La interpretación de lenguas es una demostración sobrenatural de aquello que ha sido dicho en lenguas.

La palabra hebrea que es traducida "profetizar" significa "fluir adelante, derramar." Lleva consigo el pensamiento de "burbujear como una fuente, dejar caer, levantar, voltear, brincar." La palabra griega que es traducida "profetizar" significa "hablar por otro." Significa el hablar por Dios, o el ser Su portavoz.

El Don de Profecía Para Todos

1 CORINTIOS 14:1-5

1 Seguid el amor; y procurad los dones espirituales, pero sobre todo que profeticéis.

2 Porque el que habla en lenguas no habla a los hombres, sino a Dios; pues nadie le entiende, aunque por el Espíritu habla misterios.

3 Pero el que profetiza habla a los hombres para edificación, exhortación y consolación.

4 El que habla en lengua extraña, a sí mismo se edifica, pero el que profetiza, edifica a la iglesia.

5 Así que, quisiera que todos vosotros hablaseis en lenguas, pero más que profetizaseis; porque mayor es el que profetiza que el que habla en lenguas, a no ser que las interprete para que la iglesia reciba edificación.

En este pasaje de Escritura, Pablo nos dice que deseemos los dones espirituales, pero especialmente que profeticemos. Esto no quiere decir que no hemos de desear los otros dones, sino que hemos de poner este don primero. Al final de este capítulo, Pablo repite, "*Así que hermanos, procurad profetizar.*" Así, Pablo, escribiendo por la inspiración del Espíritu Santo, enfatizó la importancia de la profecía.

El Don de Profecía en el Ministerio del Profeta

El simple *don de profecía* no debería confundirse con el *oficio del profeta.* *"Pero el que profetiza habla a los hombres para EDIFICACION, EXHORTACION, y CONSOLACION"* (1 Cor. 14:3). De este modo, podemos ver claramente que en el simple don de profecía no hay revelación. En el oficio del profeta, sin embargo, amenudo encontramos revelación fluyendo incluso por profecía.

También es interesante el notar la diferencia entre la profecía en el Antiguo y el Nuevo Testamentos. En el Antiguo Testamento la profecía esencialmente es para *predecir* o pronosticar sucesos futuros, mientras que en el Nuevo Testamento se traslada fuertemente a *relatar* o expresar. *En el simple don de profecía no hay predicción ninguna.*

Nota que Pablo le está diciendo a toda la Iglesia en Corinto que procurasen profetizar y que desearan los dones espirituales — pero *"más que profeticéis."* Sin embargo Pablo había acabado de decirles en el capítulo doce de Primera de Corintios que Dios había puesto a unos en la iglesia, *". . . primeramente apóstoles, luego profetas, lo tercero maestros. . . ."* (v. 28).

Luego Pablo preguntó, *"¿Son todos apóstoles?"* La respuesta es no. *"¿Son todos profetas?"* No, no podría ser. Si el profetizar te hiciera un profeta, entonces Pablo se estaría contradiciendo a sí mismo. *Sin embargo, el hecho de que hayas profetizado no te hace un profeta.* Significa que has ejercitado el simple don de profecía.

Por ejemplo, un hombre rico tiene dinero. Todos nosotros tenemos por lo menos un poco de dinero, pero éso no nos hace ricos. Del mismo modo, un profeta profetizaría, pero uno que profetiza no sería necesariamente un profeta. Un profeta, por ejemplo, tendría más de los dones del Espíritu en operación que simplemente el don de profecía. El tendría los dones de revelación operando con la profecía.

Pablo dijo en Primera de Corintios 14:29, *"Los profetas hablen dos o tres, y los demás juzguen."* Luego en el versículo 30 dijo, *"Si algo le fuere revelado a otro que estuviere sentado,* (esto es, otro profeta, *calle el primero."* Aquí está hablando de revelación. El profeta tendría estos otros dones de revelación operando a través de él.

Por tanto, para estar en el oficio de profeta, una persona debe tener operando en su ministerio el don de profecía más por lo menos dos de los dones de revelación: sea la palabra de sabiduría, la palabra de ciencia, y/o el don de discernimiento de espíritus.

Por tanto, no deberíamos confundir el oficio del profeta con el simple don de profecía que todos los creyentes deberían procurar. Todos pueden tener el don de profecía, porque Dios no nos hubiera dicho que procuráramos algo que no estuviera a nuestro alcance. Todos pueden profetizar, pero todos no podemos ser profetas.

En Hechos 21, vemos una ilustración de las escrituras del don de profecía.

HECHOS 21:8-11

8 Al otro día, saliendo Pablo y los que con él estábamos, fuimos a Cesarea; y entrando en casa de Felipe el evangelista, que era uno de los siete, posamos con él.
9 Este tenía cuatro hijas doncellas que profetizaban.
10 Y permaneciendo nosotros allí algunos días, descendió de Judea un profeta llamado Agabo,
11 quien viniendo a vernos, tomó el cinto de Pablo, y atándose los pies y las manos, dijo: Esto dice el Espíritu Santo: Así atarán los judíos en Jerusalén al varón de quien es este cinto, y le entregarán en manos de los gentiles.

Nota que las cuatro hijas de Felipe tenían este simple don de profecía. Estas muchachas habían debido profetizar en las reuniones llevadas a cabo en su casa; de otra manera, Pablo y su compañía no hubieran sabido que profetizaban. Ellas hablaron a la compañía entera para edificación, exhortación y consolación. Evidentemente ellas no le profetizaron a Pablo. Cuando el profeta Agabo llegó, sin embargo, él tuvo algo de mayor orden, lo cual trajo revelación.

Por lo tanto, vemos que el profeta puede profetizar — pero el mensaje que él trae puede que no sea profecía. Puede venir a través del don de profecía, al hablar lo que tenga del Señor, diciendo, "Así dice el Señor." En Hechos 2:10,11 fue uno de los dones de revelación — *la palabra de sabiduría* — en operación a través del don de profecía.

Algunos piensan que el profetizar significa el predicar. Toda *emisión inspirada* es profecía en una forma u otra, pero la profecía no es la predicación. Algunas veces hay un elemento de profecía en la predicación cuando uno es ungido por el Espíritu y es inspirado a decir cosas que vienen del corazón y no de la cabeza; pero ésa es solamente una fase de la operación del don de profecía.

El predicar significa proclamar, anunciar, llorar, o contar. El propósito bíblico del don de profecía es diferente del propósito de la predicación. Jesús no dijo que los hombres se salvarían por la locura de la profecía, sino que por la locura de la *predicación*. Los dones sobrenaturales son dados para arrestar la atención de la gente, no para salvarles. Incluso en el Día de Pentecostés cuando hablaron en otras lenguas, nadie fue salvo hasta que Pedro se levantó y les *predicó*.

El Abuso del Don

1 TESALONICENSES 5:19-21

19 No apaguéis al Espíritu.
20 No menospreciéis las profecías.
21 Examinadlo todo; retened lo bueno.

Otra área de confusión con respecto al don de profecía es causada por el abuso de este don. La iglesia en Tesalónica tenía tanto abuso del don de profecía que casi lo menospreciaban. Por lo tanto, Pablo, escribiendo por el Espíritu de Dios, les tuvo que decir, "No menospreciéis las profecías." Si la gente usara este don como enseña la Escritura, sería de gran bendición. Pero algunos oyen a un ministro que tiene el ministerio de profeta traer revelación y piensan que ellos también lo pueden hacer. Así que tratan de traer algo de predicción en vez de simplemente expresión, y se meten en problemas.

Como vimos, el don de profecía es dado para edificar a la Iglesia. *"El que profetiza habla a los hombres para EDIFICACION, exhortación y consolación"* (1 Cor. 14:3). *". . . el que profetiza EDIFICA a la iglesia"* (1 Cor. 14:4). Este don también es dado para *exhortar* a la iglesia. La palabra "exhortar" aquí significa en el griego "un llamado a acercarse a Dios." Luego nuestro texto dice que el don del profecía es dado para *consolación.* Mucho de lo que la gente llama profecía no consuela a nadie; al contrario, los desconsuela.

La Profecía y la Vida de Oración

El don de profecía, como las lenguas, tiene que ver con más que simplemente la emisión pública. La profecía puede ser usada en tu vida de oración.

Muchas veces mientras estás en oración, Dios te llena con el Espíritu y hablas en lenguas. El hablar en lenguas es el comienzo de estas cosas, pero Dios quiere que todo creyente lleno del Espíritu haga algo más que hablar en lenguas. El quiere que podamos interpretar. Y El quiere que profeticemos.

Pablo no insinuó que solamente unos pocos creyentes hablarían en lenguas. El animó a toda la Iglesia de Corinto a orar en lenguas y adorar a Dios. Luego él dijo, ". . . *el que habla en lengua extraña, pida en oración poder interpretarla"* (1 Cor. 14:13). Dios no nos diría que oráramos por algo que no pudiéramos obtener. Y El también quiere que profeticemos, porque El claramente dijo, ". . . *procurad los dones espirituales, pero sobre todo que profeticéis"* (1 Cor. 14:1). Luego El dijo que procuráramos profetizar.

A través de este don de profecía podemos hablar sobrenaturalmente no sólo a los hombres, sino también para con Dios. A través de la profecía podemos gozar de comunión con Dios en el Espíritu lo cuál es algo por encima de cualquier cosa que hayamos conocido hasta ahora.

Texto Para Memorizar:
"Pero el que profetiza habla a los hombres para edificación, exhortación y consolación" (1 Cor. 14:3).

LA LECCION EN ACCION: *"Pero sed hacedores de la Palabra, y no tan solamente oidores . . ."* (Santiago 1:22).

El Don de Lenguas

Textos Bíblicos: Marcos 16:15-18

Verdad Central: Los diversos géneros de lenguas son una emisión sobrenatural por el Espíritu Santo en lenguajes nunca aprendidos por el que habla, ni comprendidos por la mente del que habla, ni necesariamente siempre entendidos por el oyente.

Nuestro estudio nos trae ahora al *don de lenguas,* o "diversos géneros de lenguas." La Escritura dice, "... *a otro, diversos géneros de lenguas* ..." (1 Cor. 12:10). La palabra "diversos" está en letra bastardilla en la Versión King James en el inglés, lo que significa que ésta fue una palabra añadida por los traductores. En realidad, el versículo dice, "*a otro, géneros de lenguas* ..." Más tarde en este mismo capítulo, Pablo dijo que Dios había puesto en la Iglesia "*los que tienen don de lenguas*" (v. 28). Por tanto, sería aceptable el decir "diversos géneros de lenguas," o diferentes clases de lenguas.

Los diversos géneros de lenguas son un emisión sobrenatural por el Espíritu Santo en lenguajes nunca aprendidos por el que habla, ni entendidos por la mente del que habla, ni necesariamente entendidos por el oyente. El hablar en lenguas no tiene nada que ver con habilidad lengüística; no tiene nada que ver con la mente o el intelecto del hombre. ¡Es un milagro vocal!

El *don de lenguas* es el más prominente de los tres dones vocales —

o como a veces son llamados, dones de emisión o inspiración — el *don de profecía, diversos géneros de lenguas, y la interpretación de lenguas.* Sin embargo, esto no significa necesariamente que el don de lenguas sea el mejor. Pero sí que es el más prominente por varias razones.

¿Por Qué Se Les Da a Las Lenguas Prominencia En Algunos Círculos?

Una pregunta amenudo preguntada por algunos de nuestros amigos de otras denominaciones es, "¿Por qué vosotros del Evangelio Completo le dais tanta importancia a las Lenguas?" La respuesta es que no lo hacemos. Hay varias razones por las que parece que sí que lo hacemos.

1. Amenudo se nos pregunta acerca de las lenguas y nos vemos obligados a hablar al respecto.

2. El hablar en lenguas es siempre manifestado cuando la gente es bautizada con el Espíritu Santo.

3. La emisión en lenguas en asamblea pública es el menor de los dones, y es por tanto el más ámpliamente distribuido y más frecuentemente usado de los dones.

4. Los dones de lenguas e interpretación de lenguas son distintivos de esta dispensación. Vemos todos los otros dones del Espíritu — la palabra de sabiduría, la palabra de ciencia, el discernimiento de espíritus, la fe especial, el hacer milagros, dones de sanidades, y profecía — en operación en el Antiguo Testamento. En el ministerio de Jesús vemos todos los dones del Espíritu en operación excepto las lenguas e interpretación. Los dones de hablar en lenguas e interpretación de lenguas son característicos de la dispensación en la que vivimos. Por tanto, están en mayor uso.

5. Pablo les dio prominencia a las lenguas. La razón por la que lo hizo, es que entonces, como ahora, el hablar en lenguas estaba ámpliamente malinterpretado.

Las Lenguas —
Una Señal Sobrenatural

Jesús dijo en Marcos 16:17, "*Y estas señales seguirán a los que creen … hablarán nuevas lenguas…*" Un predicador, tratando de encontrar una explicación dijo, "Esto sólo significa que una persona que estuviera acostumbrada a maldecir y a decir mentiras y chistes vulgares ya no lo hace más; habla con una nueva lengua." Este argumento, sin embargo, es bastante pobre, porque al leer el pasaje entero vemos que ¡cada una de las señales mencionadas aquí por Jesús es una señal sobrenatural!

MARCOS 16:15-18
15 Y les dijo: Id por todo el mundo y predicad el evangelio a toda criatura.
16 El que creyere y fuere bautizado, será salvo; más el que no creyere será condenado.
17 Y estas señales seguirán a los que creen: En mi nombre echarán fuera demonios; hablarán nuevas lenguas;
18 tomarán en las manos serpientes, y si bebieren cosa mortífera, no les hará daño; sobre los enfermos pondrán sus manos, y sanarán.

Ninguna persona que piensa dudaría que si cuatro de estas señales son sobrenaturales, de seguro que la quinta también lo sería. Por tanto, una razón por la que hablamos en lenguas es porque Jesús dijo que ésta es una señal que seguiría a los creyentes. Es la evidencia bíblica; esto es, la evidencia inicial del bautismo del Espíritu Santo.

Un predicador expresó su opinión contraria diciendo, "Juan el Bautista estaba lleno del Espíritu Santo y él no habló en lenguas. Los profetas del Antiguo Testamento tenían el Espíritu Santo, pero nunca hablaron en lenguas."

Yo le contesté, "Sí, pero nosotros no estamos viviendo bajo el Antiguo Pacto."

Lo que sucedió entonces es un ejemplo para nosotros ahora. Deseamos al Espíritu Santo en operación en nuestras vidas, de acuerdo con la dispensación en la que vivimos. Por tanto, tenemos que empezar con los Hechos de los Apóstoles. No podemos volver al Antiguo Testamento, porque no estamos viviendo allí.

Juan el Bautista era un profeta bajo el Antiguo Pacto. Jesús mismo dijo con respecto a Juan, "... *Entre los que nacen de mujer no se ha levantado otro mayor que Juan el Bautista; pero el más pequeño en el reino de los cielos, mayor es que él*" (Mateo 11:11).

En esta dispensación, tenemos un *mejor* pacto establecido con *mejores* promesas (Heb. 8:6), y particularmente en el área del Espíritu Santo.

Las Lenguas — Un Don Devocional

Necesitamos poner el énfasis sobre las lenguas donde el énfasis pertenece. Las lenguas son primeramente un don devocional.

Cuando Pablo escribió a la iglesia en Corinto, "*Doy gracias a Dios que hablo en lenguas más que todos vosotros*" (1 Cor. 14:18), les estaba dando el propósito de las lenguas y explicando lo que el hablar en lenguas haría para ellos. Las lenguas son primariamente un don devocional para ser usado en nuestra vida de oración en la alabanza y adoración de Dios.

Pablo estaba enseñando que sólo unos pocos creyentes serían usados en lo que nosotros llamaríamos *el ministerio público de las lenguas*, ya que él dijo en Primera de Corintios 12:30, "*¿hablan todos en lenguas?*" Algunos sacan esto fuera de contexto y dicen, "El hablar en lenguas no es para todos. Uno puede ser lleno del Espíritu sin hablar en lenguas." Sin embargo, debemos recordar que Pablo está hablando acerca del don de lenguas ministerial, ya que

empezó diciendo, "*Y a unos puso Dios en la iglesia, primeramente apóstoles, luego profetas, lo tercero maestros, luego los que hacen milagros, después los que sanan, los que ayudan, los que administran, los que tienen don de lenguas*" (1 Cor. 12:28).

Luego Pablo preguntó, "*¿Son todos apóstoles?* (No, todos no lo son.) *¿son todos profetas?* (No lo son.) *¿todos maestros? ¿hacen todos milagros? ¿Tienen todos dones de sanidad?* (No, no todos.) *¿hablan todos en lenguas?*" La respuesta obvia es no. Pero Pablo está hablando aquí de un *ministerio público*.

No deberíamos preocuparnos demasiado acerca de ministrar en lenguas e interpretación. Deberíamos preocuparnos más que nada en el mantener las lenguas en el lugar que principalmente pertenecen — como un don devocional para asistirnos en la adoración de Dios.

Howard Carter dijo, "No debemos olvidar que el hablar en otras lenguas no es simplemente la evidencia inicial de la presencia moradora del Espíritu Santo, es una experiencia contínua para el resto de su vida, para asistirnos en la adoración de Dios. Es un fluyente arroyo que nunca debería secarse, y que enriquecerá la vida espiritualmente."

Me parece a mí que Pablo estaba diciendo que nunca usaba las lenguas públicamente, ya que dijo, "*Doy gracias a Dios que hablo en lenguas más que todos vosotros; pero en la iglesia ...*" (1 Cor. 14:18,19). Esto parece indicar que el hablar en lenguas de Pablo no lo hacía en la iglesia. Pablo continuó, *"Pero en la iglesia prefiero hablar cinco palabras con mi entendimiento, para enseñar también a otros, que diez mil palabras en lengua desconocida"* (v. 19).

Las lenguas no son un don para enseñar o para predicar. Este no es su propósito. Si yo fuera a hablar en lenguas en el púlpito durante una hora en vez de enseñar, ésto no edificaría a la iglesia de ninguna manera. Me edificaría a mí, pero no a los oyentes. Por tanto, es más conveniente que yo enseñe en una lengua conocida en la iglesia.

Sin embargo, Pablo no estaba quitando importancia a las lenguas cuando dijo, *"... prefiero hablar cinco palabras con mi entendimiento ..."* El estaba simplemente distinguiendo entre el uso privado y el uso público del don de lenguas. El dijo, *"... prefiero hablar cinco palabras con mi entendimiento, para enseñar también a otros, que diez mil palabras en lengua desconocida."* Estaba diciendo, en otras palabras, "Te beneficiarías más bien de esas cinco palabras en un lenguaje conocido que de diez mil palabras que yo hablara en lenguas."

Las Lenguas en el Ministerio Público

Dios usa a algunos en la emisión pública en lenguas, pero éso es un don y no es para todos. (Este es el error que los Corintios estaban cometiendo y uno que se hace con frecuencia.)

Hablando acerca del ministerio público de las lenguas, Pablo dijo, *"Si habla alguno en lengua extraña, sea esto por dos, o a lo más tres, y por turno; y uno interprete. Y si no hay intérprete, calle en la iglesia, y hable para sí mismo y para Dios"* (1 Cor. 14:27,28). En el griego las palabras "dos" y "tres" son pronombres personales y se refieren a personas.

Pablo estaba simplemente diciendo que no más de dos o tres personas deberían hablar en una reunión. En el versículo siguiente él dijo, *"Los profetas hablen dos y tres ..."* Puede que hayan más profetas presentes que puedan hablar, pero en una reunión dada, sólo dos o tres de éllos deberían hablar.

Debemos tener mucho cuidado de andar suavemente delante del Señor. Debemos mantenernos abiertos a El a medida que andamos calladamente, honorablemente, y reverentemente acerca de asuntos espirituales. Y debemos invitar la operación del Espíritu de Dios entre nosotros.

Texto Para Memorizar:
"Y estas señales seguirán a los que creen ... hablarán nuevas lenguas" (Marcos 16:17).

LA LECCION EN ACCION: *"Pero sed hacedores de la Palabra, y no tan solamente oidores ..."* (Santiago 1:22).

Interpretación De Lenguas

Textos Bíblicos: 1 Corintios 14:13-15,27,28,40

Verdad Central: La interpretación de lenguas es la demostración sobrenatural por el Espíritu del significado de una emisión en otras lenguas.

Nuestro estudio de los dones del Espíritu nos ha traido ahora al final de la lista — el don de la *interpretación de lenguas.*

Primero vimos los tres dones de revelación, o los tres dones que revelan algo: la *palabra de sabiduría,* la *palabra de ciencia,* y el *discernimiento de espíritus.* Luego estudiamos los tres dones que hacen algo, o como son amenudo llamados, los tres dones de poder: el *don de fe,* el *hacer milagros,* y los *dones de sanidades.* Finalmente, estudiamos los tres dones vocales, o los tres dones inspiracionales — los tres dones que dicen algo: la *profecía, diversos géneros de lenguas,* y la *interpretación de lenguas.*

Como hemos dicho, la *profecía* es una emisión sobrenatural en una lengua conocida. Los *diversos géneros de lenguas* son una emisión sobrenatural en una lengua desconocida. La *interpretación de lenguas* es la demostración sobrenatural por el Espíritu del significado de una emisión en otras lenguas. No es la *traducción* de las lenguas; es la *interpretación* de lenguas.

El don de la interpretación de lenguas es el menor de los nueve dones del Espíritu Santo, porque depende de otro don para poder operar. No funciona a no ser que el don de lenguas esté en funcionamiento. El propósito de este don de la interpretación de lenguas es en rendir al don de lenguas inteligible a los oyentes para que la iglesia, así como también el poseedor del don, pueda saber lo que ha sido dicho y pueda ser edificado. Pablo dijo, *". . . mayor es el que profetiza que el que habla en lenguas, a no ser que las interprete para que la iglesia reciba edificación"* (1 Cor. 14:5).

¿Pero no puede Dios hablarnos de otra forma? Sí, puede y lo hace. Tenemos mensajes que no son una interpretación de lenguas, son una manifestación del don de profecía. Todos estos dones operan por la fe, pero se requiere más fe para profetizar que para dar un emisión de lenguas o interpretación de lenguas, porque aquellos que operan en estos dones tienen a otra persona en quien respaldarse. En otras palabras, la persona con el don de lenguas puede apoyarse en la persona con el don de interpretación de lenguas, y viceversa. Sin embargo, la persona que tiene el don de profecía tiene que tener suficiente fe sólo para empezar a hablar lo que ha recibido.

Interpretación, No Traducción

Como hemos señalado, la *interpretación* de lenguas no es una *traducción*. A veces se me pregunta cómo es que cuando alguien habla largamente en lenguas, un intérprete da en ocasiones una interpretación corta. Porque la interpretación es simplemente la demostración sobrenatural por el Espíritu de Dios del *significado* de lo que ha sido dicho en lenguas, la interpretación podría no requerir tantas palabras como el mensaje original. De la misma manera, alguien podría dar una corta emisión en lenguas, y la interpretación ser larga. El mismo principio de claridad está envuelto aquí: Puede que la interpretación tenga que ser más larga para poder mostrar con claridad el significado del mensaje.

Si la persona que está interpretando las lenguas es también usada en profecía, puede que termine la interpretación y siga en profecía. (Yo hago esto bastante amenudo.) La mayoría de la gente que es sutil al Espíritu puede reconocer la diferencia fácilmente, porque al momento en que uno habla en profecía, sus palabras toman una mayor autoridad y una mayor unción: Hay más inspiración y mayor bendición en la profecía.

La Interpretación en la Vida Privada De Oración

1 CORINTIOS 14:13-15,27,28,40
13 Por lo cual, el que habla en lengua extraña, pida en oración poder interpretarla.
14 Porque si yo oro en lengua desconocida, mi espíritu ora, pero mi entendimiento queda sin fruto.
15 ¿Qué, pues? Oraré con el espíritu, pero oraré también con el entendimiento; cantaré con el espíritu, pero cantaré también con el entendimiento ...
27 Si habla alguno en lengua extraña, sea esto por dos, o a lo más por tres, y por turno; y uno interprete ...
28 Y si no hay intérprete, calle en la iglesia, y hable para sí mismo y para Dios ...
40 pero hágase todo decentemente y con orden.

De acuerdo con el versículo trece, aquellos que hablan en otras lenguas son instruidos a orar por el don de la interpretación. La razón por la cual Pablo nos instruye a buscar este don no es necesariamente para que podamos interpretar en público, sino para que podamos interpretar nuestras oraciones privadas, si Dios así quiere. El saber lo que estamos orando nos edificaría espiritualmente grandemente — y si Dios quisiera usarnos públicamente para interpretar mensajes en lenguas, éso sería una bendición adicional.

La forma en la que yo empecé a interpretar lenguas fue en mi vida privada de oración. Estaba orando un día cuando de repente me dí cuenta que estaba orando en inglés, y supe por lo que había estado orando en lenguas — estaba dando la interpretación de ello. (Desde luego, Dios sabe por lo que estamos orando en lenguas, porque estamos hablándole a El, pero a veces El quiere que *nosotros* también sepamos por lo que estamos orando.)

Sin embargo, no es necesario que *todo* lo que digamos en otras lenguas en oración privada tenga que ser claro a nuestro entendimiento, porque Pablo dijo, *"Porque si yo oro en lengua desconocida, mi espíritu ora, pero mi entendimiento queda sin fruto"* (1 Cor. 14:14). Además, no nos estamos hablando a nosotros mismos; estamos hablándole a Dios; lo que oramos es claro para El, y éso es suficiente. *"Porque el que habla en lenguas no habla a los hombres, sino a Dios; pues nadie le entiende, aunque por el Espíritu habla misterios"* (1 Cor. 14:2).

Así que vemos que hay un lado privado a este don de la interpretación de lenguas que puede sernos muy importante a nosotros personalmente. Y hay un lado público a la manifestación de este don también. Pero no todos serán usados públicamente; sólo es como el Espíritu quiere.

La Interpretación en el Ministerio Público

En el versículo veintisiete de este mismo capítulo, Pablo dice, *"Si habla alguno en lengua extraña, sea esto por DOS, o a lo más TRES, ..."* Sólo tres personas deberían ministrar en público en un dado servicio. (Las palabras "dos" y "tres" en el griego son pronombres personales.)

Algunos han preguntado, "¿Se refiere esto a tres mensajes?" En realidad, no encontramos la expresión *"mensajes en lenguas"* en ninguna parte en la Biblia. Esta es una frase que se ha adoptado para tratar de explicarlo. Un término mejor sería una *"emisión* de lenguas." Sin embargo, este versículo se está refiriendo a gente, no a mensajes o emisiones.

Pablo no dijo en realidad cuántas personas debían o no debían hablar en lenguas. El simplemente dijo que sean dos o tres los que hablen, y ésto por turno. Esto implica que no deberían hablar todos a la vez. (Según mi opinión esto implica que un individuo podría hablar más de una sola vez.)

Mi consejo para cualquier congregación es que si tres personas ya han hablado en lenguas públicamente, que una cuarta no se añada, no importa cuán fuertemente sientan la urgencia del Espíritu para hablar. Si algo más necesita decirse, uno de aquellos que ya han hablado debería emitirlo. Esto mantiene buen orden.

Nota que Pablo dijo, *"y uno interprete ..."* No hay nada en las escrituras que negaría el pensamiento de que una persona dada pueda hablar en lenguas e interpretarse a si misma. De hecho, uno de aquellos dando una emisión en lenguas públicamente podría interpretar aquella emisión, incluso cuando haya presentes más de una persona que pueda interpretar. Pablo nos está amonestando a que no hayan interpretaciones *competitivas.* Así que no hay nada en contra de las escrituras con el dar una emisión en lenguas e interpretarlas uno mismo, mientras haya solamente un intérprete.

"Decentemente y con Orden"

Pablo dedica el entero capítulo catorce de Primera de Corintios a los dones de profecía, lenguas e interpretación de lenguas. Luego continua declarando, "Dios no es Dios de confusión . . ." (v. 33). Pablo quiere decir que en el uso — el abuso — de la profecía, lenguas e interpretación hay a veces confusión.

He estado en reuniones donde he visto el abuso de estos dones y me he ido a mi casa confundido. (Estas no eran mis reuniones, porque en mis reuniones generalmente trato de señalar cualquier error y explicárselos a la gente para que no se vayan a sus casas en confusión.)

Esto no quiere decir que el diablo estaba obrando en esos servicios. Quiere decir que la gente puede mezclar las cosas. Si aprendemos a permanecer en el Espíritu, andaremos de acuerdo a la Palabra, y seguiremos la admonición de Pablo "Hágase todo decentemente y con orden" (v. 40), sin causar confusión en nuestras reuniones.

A veces sólo necesitamos consejos prácticos con respecto a estas manifestaciones que nos ayuden a mantener buen orden en nuestras reuniones. Entonces incluso los visitantes podrían entender y recibir una buena impresión por nuestro buen orden. Y aun más importante, no contristaríamos al Espíritu de Dios. La Biblia dice, "Y no contristéis al Espíritu Santo de Dios . . ." (Efesios 4:30). El ha sido contristado a veces en algunas iglesias — contristado al querer manifestarse a Sí mismo, y la gente no se lo ha permitido, ¡y contristado por el modo en que algunos hacen las cosas fuera de orden!

Cuando alguien está emitiendo un mensaje en lenguas, una persona que sea usada en el don de interpretación debería inmediatamente empezar a sintonizarse con el Espíritu (si aún no la está), porque el Señor podría querer usarle a él en la operación de ese don.

A veces he esperado para que alguien más interpretara, y éllos estaban esperándome a mí. Mientras tanto, alguien más estaba esperando en alguien más. Cualquiera de nosotros hubiera podido interpretar el mensaje en lenguas, pero todos lo perdimos porque no nos sintonizamos al Espíritu Santo. (No obtendremos nada del Señor a no ser que nos sintonicemos con El.)

Esta es la razón por la cual a veces no hay una interpretación a una emisión. Cuando la culpa ha sido mía, le he dicho a la persona que dio el mensaje en lenguas, "Por favor dala otra vez, y yo la interpretaré." Entonces, cuando empezaron a hablar, me puse en el Espíritu, y Dios me dio la interpretación.

Un punto final que quiero recalcar acerca de las lenguas e interpretación se encuentra en Primera de Corintios 14:26, "Hágase todo para EDIFICACION . . ." Cuando algo se hace en el Espíritu — y esta es una forma de juzgar si es en el Espíritu — será para edificación, inspiración, y será una bendición. (Desde luego, si no estamos sintonizados con el Espíritu, no estamos en posición para juzgar.)

Las manifestaciones de los dones

espirituales sí que necesitan ser juzgadas, sin embargo. (Después de todo, sí que las juzgamos, sea que lo hagamos en público o no, porque o las aceptamos o las rechazamos.) No siempre podemos aceptar el juicio de cualquier hombre, sin embargo; sólo el juicio de aquellos que son sensibles al mover del Espíritu Santo.

Como conclusión, déjame señalar que todos los nueve dones espirituales operan por la fe. No operan por el don de fe; operan por la fe común, general. También recuerda que la Biblia dice "... *al que cree todo le es posible*" (Marcos 9:23) — ¡y si tú crees, todo te es posible a *ti*!

Texto Para Memorizar:

"Por lo cual, el que habla en lengua extraña, pida en oración poder interpretarla" (1 Cor. 14:13).

LA LECCION EN ACCION: *"Pero sed hacedores de la Palabra, y no tan solamente oidores..."* (Santiago 1:22).